VÍSTETE Y TRIUNFA
Influencia de la moda en la vida cotidiana

Toti Fernández

VÍSTETE Y TRIUNFA
Influencia de la moda
en la vida cotidiana

Mestas
ediciones

© Toti Fernández
© JORGE A. MESTAS EDICIONES, S.L.
Avda. de Guadalix, 103
28120 Algete - Madrid
Tel. 91 886 43 80
Fax: 91 886 47 19
E-mail: info@mestasediciones.com
www.edicionesmestas.com
http://www.facebook.com/MestasEdiciones
http://www.twitter.com/#!/MestasEdiciones

Ilustraciones: Anzoni
Director de colección: Juan José Jurado

Primera edición: *Agosto, 2012*

ISBN: 978-84-92892-17-4
Depósito legal: M-28563-2012
Printed in Spain - Impreso en España

Era tan pequeña que no llegaba a la mesa. Así que para poder alcanzar mis tres grandes tesoros —las tijeritas, la tela y mi panzudo muñeco Tito—, me subía a la silla y de rodillas, comenzaba cada tarde mi laborioso trabajo de diseñadora, cortando aquí y allá mil modelos exclusivos para Tito, que los lucía siempre tan contento, con su pintada sonrisa.

Con todo el cariño a mi madre, que siempre tenía preparado para mi labor un bonito trozo de tela.

ÍNDICE

¿POR QUÉ NOS VESTIMOS?

El traje como elemento de comunicación

¿Qué me pongo? Esta pregunta cotidiana es universal. A diario está en la mente de cualquier persona que se viste para la ocasión; ya sea el trabajo, una fiesta, hacer deporte, viajar, quedar con un amigo…

Esta pequeña frase que suscita nuestras dudas, supone una toma de decisiones al elegir la indumentaria más adecuada para cada momento, y a veces influye, como nos ha demostrado la historia, hasta en acontecimientos muy significativos. Esas tres palabras unen razas e ideologías en un pensamiento común: el deseo de colocar encima de nuestro cuerpo algo que nos sea útil, nos identifique y nos favorezca a la vez.

El vestido, mejor dicho, la indumentaria en su totalidad, es y ha sido desde el principio de los tiempos un vehículo de comunicación social, aunque ésta no sea su única función.

Utilizamos el traje como un elemento principal de relación en el entorno en que vivimos, puesto que somos seres sociales. El traje manifiesta el lugar que ocupa la persona en la sociedad, e incluso a menudo también demuestra el lugar de preferencia, donde quisiera estar.

Dentro de los procesos de comunicación, la ropa ejerce un diálogo constante entre el usuario y la sociedad. El vestido ha ido evolucionando al compás de la propia evolución del hombre, logrando convertirse en un excelente comunicador no verbal, que emite constantes mensajes al resto de individuos con los que compartimos nuestro día a día. Agrado, disgusto, excitación, ternura, seriedad, rechazo…infinidad de distintas emociones podemos provocar a través del diseño, la materia, la forma y el color.

El traje habla por nosotros: "*como te ven, así te tratan*", dicen hoy todavía nuestras abuelas y madres cuando salimos de casa un poco desaliñados para su gusto, o bien, con el traje no correcto para el sitio donde vamos. Y es cierto. Como la mayoría de los dichos populares, estas sencillas palabras tienen mucho de razón. La persona o personas que tenemos enfrente nos están juzgando, a priori, sólo por nuestro aspecto, y depende de la ropa que llevemos encima y de la manera de llevarla, se forjará una opinión sobre nuestro carácter, nivel económico e ideología, al primer golpe de vista.

Cuando asistimos a citas y lugares en los que está en juego nuestro prestigio, o bien el poder triunfar de alguna manera, ponemos exquisito cuidado en la indumentaria; posiblemente lo primero que nos viene a la cabeza sea ¿tengo o no tengo ropa para ir?

Ya sea una cita amorosa, ya sea una entrevista de trabajo (por poner como ejemplo dos razones prioritarias para llevar una vida saludable, el amor y el trabajo), el traje es fundamental. Cuántas veces nos sentimos a disgusto dentro de nuestra indumentaria, estando inseguros en esa importante entrevista de trabajo… Es porque la imagen que queremos dar, no la hemos conseguido.

O bien por lo contrario, porque nos hemos visto obligados a ponernos encima algo que no concuerda con nuestros gustos; o lo que es más importante, con nuestra ideología, y nos parece que tenemos otra identidad. A veces, sobre todo en la adolescencia, nos enfadamos por estas cosas.

Pero… ¿y si un buen día una chica normal se coloca ese vestido maravilloso, esa camiseta que le hace salir a la calle muy segura de sí misma, y dejar boquiabiertos a los amigos? Pues que alguien puede "quedarse prendado" de ella; -o simplemente "quedarse", como decimos- y por muchos años que pasen, siempre recordarán lo bien que le sentaba aquel vestido… La historia está llena de vestidos famosos.

El ser humano llega desnudo al mundo, pero se busca los recursos para llegar a ser el más vestido de todos los seres del planeta. El atavío también depende de los medios con los que cuente el individuo y la técnica con la que sepa aprovecharlos.

Por suerte, la sociedad ha evolucionado en el mundo occidental; no hay que olvidar que incluso hasta el siglo XX han existido normas sobre indumentaria, que establecían la clase de ropa y accesorios que podía ponerse encima cada persona. Hoy en día podemos elegir libremente la ropa que nos ponemos, con la única limitación de que nuestra economía lo permita, y que nos adaptemos a las tendencias de la moda. Es cierto que si nos empeñamos en llevar un color o un diseño que no estén incluidos en dichas tendencias, podemos desesperarnos tratando de encontrarlo, o recurrir a la fabricación artesanal, que ya sabemos que es más laboriosa y costosa.

El vestido dentro de la sociedad identifica una etapa u otra de la historia, estéticamente hablando. Si retrocedemos a los felices años 20, enseguida nos viene a la mente la imagen femenina de líneas precisas y rectas, aquellos vestidos cortos por la rodilla, de corte sencillo, cómodos y funcionales, que dejaban ver las piernas de la mujer por primera vez en cientos de años… y los coquetos sombreritos con forma de olla, ajustados y pequeñitos, por los que sobresalían discretamente los novedosos y "masculinizados" cortes de pelo *Eton* o *a lo garçon*, evidenciando que había nacido "una nueva mujer", con una concepción propia distinta a todas las anteriores.

Ésta es, pues, *la estética de los años 20*. ¿Se podría concebir una indumentaria como ésta en una sociedad de penuria económica, o de involución de los derechos humanos, guerras, etc.? Por supuesto que no. El vestido va ligado y exhibe lo que "se cuece" en la sociedad, determinando periodos con una estética particular e igualitaria.

Sin embargo, observamos que dentro del mismo desarrollo social, no todos vestimos igual, ahí entra en juego nuestro gusto y personalidad y, por supuesto, nuestro poder adquisitivo.

Estas diferencias eran en tiempos pasados mucho más marcadas, el lujo en el vestir diferenció incluso por medio de leyes suntuarias a reyes, nobles y eclesiásticos del resto de individuos. Hoy en día, el lujo en la indumentaria está al alcance de quien pueda costear diseños exclusivos, procesos de producción más costosos, artesanías, tejidos y complementos de mejor calidad, etc., distinguiendo de alguna manera las clases sociales.

En la actualidad, hay una vulgarización de la indumentaria, entendida como un acercamiento de la moda a todos los estamentos sociales, con un eficaz sistema en los países desarrollados que permite grandes posibilidades de infraestructura a precios razonables, distribuyendo la llamada *Moda Pronta* (moda rápida, de producción y colecciones continuas), y por supuesto, el *Prêt à Porter* (ropa producida en serie, siguiendo las tendencias que dicta la moda), que revolucionó el sistema de producción y distribución del traje y sus complementos allá por los creativos años 60.

Cuando nosotros, a diario, tomamos la decisión de ponernos encima "esto o lo otro", realizamos un acto de complacencia a través de nuestro gusto estético, mediatizado por los condicionantes y la función para la que nos vestimos: la edad, el clima, nuestras ideologías, moralidad, trabajo, deporte, seducción... cumpliendo una vez más esa especie de rito milenario de vestirse que acompaña al hombre desde su existencia.

La respuesta a la pregunta de ¿qué me pongo? sería, fundamentalmente: "lo que mejor responda a tus intenciones en ese momento". Pero como sabemos por experiencia que esta sencilla respuesta, en la práctica no es tan fácil de ejecutar, vamos a intentar conocer a través de las siguientes páginas muchos aspectos del traje y de la moda, que seguro serán interesantes y útiles para ayudarnos a triunfar en nuestra vida cotidiana.

Factores que condicionan la indumentaria

Varios son los factores que condicionan lo que nos ponemos. La geografía, el clima, la economía y la edad son los más determinantes.

El clima en particular **y la geografía** en general condicionan si nos ponemos una cosa u otra.

Ni el diseño ni los tejidos de un traje deben ser iguales en una parte del mundo que en otra; sería un poco tonto tratar de introducir la moda mediterránea en Alaska, por poner un ejemplo; cada zona geográfica tiene un clima propio, que condiciona los trajes que se llevan. Actualmente, las grandes firmas y las grandes franquicias adaptan sus diseños según la zona climática.

EL CLIMA del planeta tiene marcadas diferencias, establecidas en zonas climáticas complejas, pero que podemos dividir sencillamente en cálidos, templados, fríos y polares. Los demás condicionantes, ya sean políticos, religiosos, étnicos, etc., están supeditados al clima.

En las zonas cálidas, regiones intertropicales donde la amplitud térmica sólo oscila en unos pocos grados durante todo el año, el traje es ligero, monótono en cuanto a estructuras y sencillo; realmente porque no se necesita más.

Sin embargo, las diferencias existen, pues tanto en Panamá, como en el centro de África o en Indonesia, el clima es semejante, pero la indumentaria posee unas características étnicas y culturales que las diferencian. La artesanía es parte importante de la moda de estos países, realizándose bordados y prendas de costosa elaboración, tanto en lo tradicional como en las tendencias más modernas.

Los climas templados se encuentran en las latitudes medias. La amplitud térmica de estos climas llega a ser muy marcada, el termómetro baja y sube, por lo que es el tipo de clima que reúne las mejores condiciones para desarrollar una industria de la moda con muchas posibilidades.

Están incluidos aquí Estados Unidos, Canadá, centro de Chile, Argentina, sur de China, Japón, Australia, norte de India, Pakistán, Europa y todo el Mediterráneo.

En la zona templada es donde las sedes de las industrias de la moda obtienen sus mayores beneficios, produciéndose ropa tanto para climas muy fríos como para cálidos.

En este caso, otros condicionantes marcan las diferencias entre un país y otro, como puede ser el religioso (por ejemplo, en los países musulmanes). Las tendencias de la moda en países desarrollados de clima templado siguen las pautas de las cuatro estaciones: primavera-verano y otoño-invierno, aplicándose formas, tejidos y colores de acuerdo con cada estación del año.

En los últimos tiempos, Europa, Asia, América Latina, algunos países africanos y Estados Unidos, aún siguiendo las tendencias generales de la moda, optan por ofrecer estilos muy propios, con diferentes propuestas. Los países de Asia, América Latina y África incluyen en sus pasarelas toques tradicionales étnicos en trajes totalmente "a la europea", aportando un aire exótico apreciado en el resto de países.

Para el clima frío y polar, actualmente la industria de la moda ofrece una amplia gama de tejidos, la mayoría sintéticos, con unas propiedades que están en constante superación e investigación. En los últimos quince años se ha avanzado más en este sentido que en toda la historia.

La prenda de abrigo clásica no ha cambiado en lo esencial, no así la urbana, cada vez con más membranas y tratamientos químicos adicionales en los tejidos, que les otorgan propiedades contra el frío, el aire y la lluvia. El mundo de los materiales sintéticos técnicos ofrece unos tejidos con los que es imposible pasar frío. El sistema más utilizado es incluir tres capas en la prenda, una interior que absorba el sudor y lo expulse fuera; otra segunda que está formada

Tejido técnico con membranas para frío, viento y lluvia

por una gran variedad de fibras y tejidos laminados aislantes: fibras cortavientos, fleece o abrigo fuerte; y una tercera exterior que debe reunir tres características fundamentales para evitar las diferentes pérdidas de calor: impermeabilidad, transpiración y cortavientos. Lo que empezó como vestimenta sólo deportiva, ya está en la calle. Toda una revolución en el mundo de la ropa.

LA EDAD, otro importante factor, nos clasifica a la hora de vestirnos, no sólo por las medidas, lógicamente, sino por el modo de componer nuestro aspecto.

El traje infantil

Ha llovido mucho desde que a los bebés se les envolvía en lienzos, prácticamente a modo de vendajes durante los primeros meses, tapando su cabeza con una cofia, cual especie de extraña crisálida humana. A finales del siglo XVIII, bajo la influencia de Rousseau y los higienistas, se suprime el maillot de los niños de pecho así como el corpiño de ballenas que usaban los chiquillos hasta los 5 ó 6 años con la intención de mantener sus pobres cuerpecitos derechos.

Niños y niñas llevaban vestidos o faldas cortas, siendo el blanco el color más utilizado hasta comienzos del siglo XIX. A partir de esta época se introducen los tonos oscuros en las casacas abotonadas y los calzones de paño de los varones, así como en los vestidos de las niñas. Entre los años 1810 y 1860 las faldas oscuras se combinaban dejando ver los blancos mamelucos, especie de calzones interiores.

La canastilla del bebé se modifica entre 1920 y 1940, empleando géneros de punto que se adaptan mejor al cuerpo. La ropita de bebé en punto reemplaza a los piqués boatinados y a las franelas.

Es en esta época que se empieza a utilizar el color azul para los niños y el rosa para las niñas. Los investigadores no se ponen

¿rosa o azul?

de acuerdo en la causa de esta distinción de género por colores. Antes del siglo XX se vestía a las niñas de azul como símbolo de pureza y a los niños de rosa o rojo asociado a la fuerza. Después de la Primera Guerra Mundial, hay un cambio, y el azul se asocia al color masculino, por los uniformes; y el rosa, en la siguiente gran guerra es utilizado por los nazis para identificar a los homosexuales, como color femenino. En los 50, la marca de coches Dodge sacó su modelo La Femme (la mujer) pintado en rosa y blanco. Los nuevos tintes sintéticos sacan cantidad de tonos que antes no se habían visto, y la moda del momento se llena de tonos pastel, en celestes y rosas, adjudicando desde entonces uno y otro color a cada sexo.

En casi todas las épocas, el traje de los niños no se ha diferenciado prácticamente del de los adultos, quedando convertidos a la vista en "adultos bajitos", tanto los de las clases sociales altas como las bajas. Así, no tenemos más que mirar las imágenes de las niñas en el famoso cuadro de Velázquez "Las Meninas" vestidas con los *corsés* y *guardainfantes* propios de la moda española del siglo XVII, para darnos cuenta de lo poco, por no decir nada funcional, de estas prendas, con las que se igualaban con sus mayores.

Hacia 1846 el pequeño Alberto -príncipe de Gales- pone de moda un traje infantil distintivo y específico, que lleva usándose desde entonces por los niños y las niñas: el *"traje de marine-*

ro". Inspirado en el uniforme militar, en principio se confeccionaba en blanco y azul, luego se han hecho todas las combinaciones de colores, aunque para las ocasiones ceremoniales (Primera Comunión) se sigue usando en los colores clásicos. Ha sido como un uniforme admitido para los niños y las niñas, pese a que no es muy funcional , pero hay que reconocerle su éxito social, pues incluso las mujeres lo siguen utilizando año tras año, en infinidad de versiones.

Entre los años 1890 y 1950 la moda infantil se distingue de la de los adultos. La principal innovación fueron los cómodos pantalones "bombachos" y pantalones por encima de la rodilla para los varones, que, eso sí, el niño estaba obligado a llevarlos hasta que pasaba a la pubertad, edad en que se le hacía una especie de "puesta de pantalón largo".

El chaval, con el bigotillo ya crecido, estaba deseando colocarse los pantalones largos, porque así "dejaba de ser niño" para la sociedad y pasaba a ser persona más considerada en cuanto a posición y opiniones.

En la actualidad, el traje infantil no tiene muchas variaciones con el de los mayores, aunque siempre el corte es holgado en los niños y los tejidos, estampados y colores están en consonancia con el mundo de los pequeños.

La industria de esta confección está condicionada por las tendencias que marca la moda de temporada y por el gusto de los propios niños, que a su vez están influenciados por los personajes de las películas, TV, cómics, etc.; dando lugar a una moda divertida, colorida y efectista, tipo publicitario, pues se hace propaganda de marcas o del héroe infantil del momento en los pequeños cuerpos de miles de usuarios.

No obstante, para satisfacer a una parte importante de la sociedad, la tendencia clásica, de cortes inmutables, pantalones y abrigos rectos, camisas, suéteres y chaquetas, y tonos rosas, celestes, blancos, marinos y rojos, siempre está disponible.

Estas prendas tienen la ventaja añadida de que, al ser de calidad, permiten heredarse entre hermanos, primos y amigos; esto ocurre, por ejemplo, con las prendas confeccionadas con el tejido *Loden, de gran calidad y precio elevado, pero de prestigio entre los clásicos, que además tienen el detalle del cambio de botonadura para varón o mujer, por lo que el precio se amortiza en el tiempo.

La moda infantil cada vez está más valorada. A pesar del precio de la ropa en el mercado, que no es módico, es una industria en auge, que se expande internacionalmente, con apertura de muchas franquicias por todo el mundo. Diseñadores de élite de ropa para mayores están apostando por vestir a nuestros chavales con deliciosos modelos de diseño, siendo el mercado estadounidense el pionero.

Nombres como Ralph Laurent, Tommy Hilfigther, Donna Karan NY, Calvin Klein, Benetton, y tantos otros, no cesan de crear estupendos diseños y aportar interesantes iniciativas para que nuestros pequeños estén cómodos y lindos.

---

* Palabras con asterisco en Glosario.

¿Sabías que... las celebrities marcan las tendencias de las modas infantiles, vistiendo a sus hijos con las últimas innovaciones de los diseñadores? Los pequeños tienen armarios millonarios.

El traje de los jóvenes es en nuestra sociedad actual el más demandado. La juventud es la que marca la pauta de la moda desde hace más de medio siglo. El cuerpo joven es admirado e imitado, pues la juventud es la etapa de la vida que se valora como más bella, físicamente hablando.

La influencia que ejerce la belleza en la sociedad, es un fenómeno admitido a lo largo de la historia del ser humano. Lo guapo atrae, atrapa nuestra atención, asociando invariablemente la imagen guapa de la persona que tenemos delante, con cualidades positivas. La imagen del éxito va unida a la juventud y al culto al cuerpo.

El traje ayuda a lograr este atractivo; un buen diseño sobre un cuerpo joven al gusto del momento, tiene el éxito asegurado.

Es en la segunda década del siglo XX cuando el estilo juvenil se apodera de la moda, reafirmándose desde los 60 hasta nuestros días, aunque con cambios en las preferencias de imagen. En los 20, hizo furor la silueta sin formas de la mujer-niña-andrógina. En los 50, sólo unos años más tarde, se acentúan las curvas, para volver a cubrirlas en favor de la moda un tanto ingenua que nos marcó Mary Quant a mediados de los 60... así, cada década va teniendo una imagen determinada, hasta llegar al día de hoy, en la que se admira la imagen mujer-Barbie, delgada y con senos pronunciados.

En lo que respecta a la silueta masculina, su evolución ha sido más uniforme, es a partir de los 80 cuando la imagen del hombre se "destapa" del todo, mostrando un cuerpo joven y musculado, sobre el que cualquier indumentaria cae bien, incluso la ropa interior, cuyos carteles publicitarios salen por primera vez a la calle sin pudor. La empresa de confección masculina obtiene ahora grandes beneficios.

La industria de la moda, en consonancia siempre con los vaivenes sociológicos, alienta de alguna manera la cultura del cuerpo "10", difundiéndola a través de los medios con multitud de eventos y publicaciones, en los que los cuerpos ideales son los protagonistas.

Todo esto produce una influencia mediática en el individuo de a pie, con una doble vertiente: por un lado, la positiva, en la que lograr una imagen cercana al ideal nos induce a hacer más ejercicio, comer más racionalmente, llevar una vida más sana, en una palabra; y por otro lado, la parte negativa, que da lugar sobre todo en personas jóvenes, a realizar algunos disparates con su cuerpo. Intentando ser "divinas delgadísimas" muchas adolescentes caen atrapadas en gravísimas anorexias, operaciones, regímenes no recomendables, etc.

Este fenómeno surge a mediados de los años 60. En plena revolución cultural, Justin de Villeneuve, peluquero y fotógrafo de moda en esta década, descubrió a una adolescente inglesa considerablemente delgada y con aspecto infantil, en la que creó la imagen ideal para millones de chicas de todo el mundo que soñaban con un mundo distinto. Twiggy (apelati-

vo familiar por sus delgadísimas piernas), icono de la moda desde el año 66 al 70 -en sólo cuatro años-, estaba en todas las portadas y era el objeto de imitación de millones de chicas.

Su imagen frágil infantil, de líneas rectas, acompañada por sus grandes ojos ingenuos, de larguísimas y maquilladas pestañas postizas, enmarcados por un cabello corto inusual hasta entonces, era el contrapunto de la mujer voluptuosa de años anteriores.

Vestida por Mary Quant, diseñadora que introdujo la minifalda, fue un buen producto de marketing que supo sacar partido a su fama, siendo la musa de la revolución cultural de la época. Twiggy abrió el camino de las adoradas modelos, y de la envidiada delgadez.

La industria de la moda actual, inspirada en el deseo general de poseer la eterna juventud, potencia su fabricación juvenil, y extiende en este momento el tramo de edad considerado joven más allá de los treinta años, dirigiendo la mayor parte de su producción a un consumidor de una sociedad fundamentalmente urbana y tecnológica. Se confecciona y difunde sobre todo una indumentaria funcional, dinámica y atrevida, renombrada como *wear* (del verbo inglés wear -vestir-) y su estilo *casual*.

Este estilo nace en los 80, década en la que está de moda "lucir marca", en principio entre los jóvenes, pero se extiende para todas las edades, y ofrece una amplia gama de géneros que se adaptan a distintas circunstancias, ideologías e identidades. Como ejemplo el *Sport Wear* (estilo muy deportivo), *Active Wear* (personas dinámicas que aman la vida sana), *Music Wear* (unido a distintos estilos musicales actuales, con una total influencia urbana) y el que podríamos llamar uniforme urbano *Street Wear o Urban Style:* camisetas de marca, sudaderas, vaqueros y zapatillas deportivas de marca. Un nuevo estilo de ropa para la calle, que antepone la comodidad a la elegancia y al protocolo, y que por primera vez se utiliza tanto para el día como para la noche.

El traje joven triunfa. El estilo urbano joven y cómodo, es el que impera en las ciudades actuales. Ofrece al consumidor un amplio abanico de posibilidades, con el jeans como prenda estrella.

¿Sabías que... *las marcas Levis —pantalones vaqueros- y Lacoste - polos de granito- dieron origen al estilo casual wear?*

Pero estos estilos de indumentaria generalizan de alguna manera el modo de vestir, produciendo en algunos grupos de jóvenes un fenómeno de rechazo en pro de una distinción personal, de una exclusividad en el vestir, que les hace distinguirse de la gran masa a través de una indumentaria "alternativa".

Esta otra "moda" o "antimoda" joven, que tiene que ver con las tendencias estéticas, ideológicas, políticas, geográficas, étnicas, culturales, sexuales, y los propios valores y símbolos del momento, va asociada sobre todo a la música, y son variables en el tiempo.

Comienza como minoritaria, pero su estética acaba normalmente siendo incorporada al sistema, que fomenta la compra de estos productos; p. ej. las zapatillas deportivas, minoritarias y símbolo de rebeldía de los jóvenes admiradores de James Dean en la película "Rebelde sin causa" en los años 50. Lo que comenzó como una expresión contra el sistema, se popularizó de tal manera que lleva muchas décadas dando extraordinarios beneficios a la industria.

La "subcultura", término no ofensivo que se utiliza para definir a un grupo de personas con una identidad que les diferencia de la cultura dominante de la que forman parte, está normalmente asociada a grupos de jóvenes, que están unidos por los mismos gustos, preferencias, entretenimientos o ideologías, y utilizan símbolos que les representan.

Las tribus urbanas nacen de estas asociaciones y marcan una etapa importante y original en la estética de la indumentaria joven de nuestro tiempo. Se establecen rápidamente en las ciudades, en los barrios, en las calles… En grupos gregarios, de duración variable.

Los particulares trajes y complementos de las diversas tribus urbanas nos hablan de distintas formas de pensamiento, de distintas maneras de ver la vida, de rebeldía, de paz, de violencia, de aspiraciones, de energía, de juventud… y nos enseñan, además, a apreciar nuevos y sugestivos valores estéticos; es tan interesante el estudio de la indumentaria en las tribus urbanas, que merece un capítulo aparte, un poco más adelante.

El traje de los dos sexos

Socialmente, el traje determina el sexo de quien lo lleva. En los establecimientos, en las pasarelas, siempre se nos hace la distinción clara: "ropa de hombre" – "ropa de mujer". El sexo ha establecido en casi todas las épocas una diferente manera de vestir.

Si bien es cierto que ha habido largas etapas en que la ropa era prácticamente igual en hombres y en mujeres. La diferencia se conseguía por medio de los complementos, joyas, detalles, etc.

En la Grecia Clásica no tuvieron ningún problema durante siglos en utilizar tanto hombres como mujeres una simple pieza de tela rectangular de hasta 3 metros, el *khitón*. Este traje resultaba muy cómodo en un país de clima cálido, además era hermoso, si se le compara con las pieles de oveja que los mismos griegos solían vestir hasta entonces.

En la Edad Media, durante el siglo XIII, hombres y mujeres usan el *vestido amplio;* pero el hombre empieza a marcar la diferencia usando calzas debajo de la túnica, luciéndolas más tarde al exterior. La mujer seguirá utilizando el vestido largo, considerándose una falta grave el uso de calzas masculinas o pantalón, como en el caso de Juana de Arco. Es a partir del siglo XVII cuando vemos a la mujer llevando detalles masculinos en su indumentaria, y siempre dependiendo de las funciones que tuviera que realizar, como ir de caza. Hay una frase curiosa de De la Croix sobre esta diferencia: "el pantalón femenino es un insulto directo a los derechos del hombre". ¡Caramba, que radicales eran en su época...! en fin, otros tiempos corrían.

> *¿Sabías que... hasta el año 2.010 (en que se derogó la ley) era un delito en Francia que la mujer llevara pantalones? En 1972 -en pleno siglo XX- a Michele Alliot-Marie, ministra francesa, se le negó la entrada en el Parlamento por llevar pantalones. «Si es mi pantalón lo que os molesta, me lo quito ahora mismo», fue la ocurrente respuesta de la ministra.*

Hasta principios del siglo XX la sociedad no aceptó el pantalón femenino, en principio sólo para hacer algún que otro deporte. Hasta entonces, sólo "excéntricas y contestatarias" pugnaban por colocarse un pantalón.

Otras atrevidas mujeres fueron trabajadoras que, como injustamente ganaban salarios más bajos que los hombres, llevaban pantalones para camuflarse y poder cobrar lo mismo que ellos, lo que suponía más o menos el doble de su paga. ¡Realmente merecía la pena!

Hacia mediados del siglo XIX, la mujer sale de casa para trabajar y estudiar, y aparecen los *bloomers,* especie de pantalones anchos, parecidos a los bombachos, comodísimos para la vida activa y popularizados por la estadounidense Amelia Bloomer.

Grandes pasos para los derechos de igualdad del ser humano, dados por modestas mujeres dedicadas a la moda.

El hombre, sin embargo, no utiliza la falda… ¿por qué? Pues es simplemente una costumbre que se impone en las sociedades occidentales, sobre todo en América y Europa, en que la falda es considerada vestimenta femenina; sólo con algunas excepciones basadas en la tradición y en el folklore, como las faldas *kilt* de los escoceses. Los hombres de países asiáticos y africanos utilizan a diario, sin ningún problema, vestimentas que no dividen las piernas, tales como el *caftán* o la *chilaba.*

En los progresivos años 60, hubo un intento de cambiar el concepto de indumentaria, y hacerla unisex. De hecho, se confeccionaron muchas prendas iguales para unos y otras, con predominio, eso sí, de los trajes-pantalón. El traje unisex caló tanto en la población joven, que incluso en fiestas y ceremonias lo usaban. No era raro que las parejas más "progres" se casaran ante el altar con el traje pantalón, iguales los dos. Una imagen totalmente unisex.

También se intentó introducir la falda en el hombre occidental, dado que en otros países es habitual: en algunos lugares de Asia el *sarong;* el *kaftan* en los países musulmanes... pero tuvo menos éxito; a pesar del aperturismo, todavía no estábamos preparados para esto, quedándose el intento relegado a algunas estrellas del espectáculo (en los 80, Miguel Bosé; en nuestro siglo, David Beckham) y por supuesto, a los diseñadores de vanguardia influidos por la cultura oriental, como Kenzo o Yohji Yamamoto y también algunos europeos, como Gaultier, y el propio Armani.

Trajes unisex de boda. 1974

Hoy día el pareo sí lo utilizan los hombres en las playas de moda. La túnica y el caftán también se visten en algunos sectores de la sociedad masculina occidental (artistas y famosos en actos públicos, clases altas, sobre todo, como ropa de casa y aire libre). Existen movimientos occidentales populares -"*Hombres en falda*"- que reivindican el uso de la falda para el hombre, e incluso la consideran más cómoda que el pantalón.

Entre dimes y diretes, a partir de los años 60, se introduce en el mercado la prenda unisex por excelencia:

El pantalón vaquero, *jeans o tejanos,* cuya historia se remonta a mediados del siglo XIX.

A Levi Strauss, un modesto sastre que confeccionaba carpas y toldos para las minas, durante la época de la fiebre del oro en Estados Unidos, se le ocurrió la genial idea de confeccionar pantalones para los mineros con las telas recias que usaba, pues los que llevaban se les rompían enseguida.

La tela, el *denim* (de Nîmes, Francia) era ideal para el uso, tanto en textura como en color. Los característicos remaches se introdujeron en la prenda para sujetar bien los bolsillos y que no se descosieran con el uso; en un principio se colocaban como refuerzo en las costuras de la entrepierna, pero se calentaban en exceso cuando los mineros se sentaban junto a la lumbre.

Para que el pantalón se ajustara y no perdiera la forma una vez lavado por el usuario, los pantalones se mojaban y se secaban al sol; una vez secos, la tela ya había encogido y quedaban listos para su uso. Las chicas de los 60, 70 y 80, sin saber nada de esta primitiva técnica, ya se colocaban sobre la piel sus preciados vaqueros húmedos, que como eran muy estrechos, se adaptaban así a su figura como un guante. Y es que colocarlos una vez secos, era una misión casi imposible.

Muchas de vosotras recordaréis ese instante en el que elegíamos el vaquero más *cool*, y nos lo intentábamos poner sin respirar, metiendo la barriga todo lo que podíamos. Después de varios intentos fallidos y exhaustas, nos tumbábamos en la cama e inspirábamos aire fuertemente para que el vientre nos quedara cóncavo y así podernos cerrar la cremallera… ¡uuufff!, luciendo por fin triunfantes "figurita" delante del espejo.

El vaquero/jeans/tejano/mezclilla se empezó a utilizar como ropa de calle en los años 50, por jóvenes inconformistas del país donde nació. Fue tal su aceptación tanto en chicos como en chicas en USA, que enseguida la gran masa lo adoptó como prenda cotidiana de vestir un poco informal. Hoy se comercializa en todo el mundo, y es la prenda más vendida en las últimas décadas, aunque en algunos países religiones y leyes prohíban a la mujer vestirse con pantalones y menos "tan ajustados".

Pero en la sociedad se respiraba la igualdad de sexos, y las chicas pronto lucieron los vaqueros que tan bien sientan, en todas las hechuras -tobilleros, chupines, pata de elefante, rectos, campana, pitillos, pirata, tiro alto, bajo, medio, etc.-, y reinventando cada día nuevas texturas y formas.

Dentro de la industria de la moda, el vaquero es la prenda unisex por excelencia, seguida de las zapatillas deportivas. Ambas prendas parecen ser una especie de uniforme universal de la juventud tanto en oriente como en occidente.

Centrándonos en la ropa, la marca pionera de tejanos Levi's & Co. sigue teniendo en la actualidad un gran prestigio de calidad y diseño. Pero otras buenas marcas fueron surgiendo en el mercado: Lee, Lois, Wrangler, Cimarrón, Liberto, Pepe Jeans, Guess, Diesel, Armani, Jack & Jones, etc., por nombrar sólo unas cuantas, pues la lista es larga; muchas de las casas de moda incluyen el tejano entre sus colecciones, obligados por la demanda de una prenda casual para todo tipo de consumidor.

Aparte de la comodidad y la resistencia, lo mejor que tiene esta prenda es que te la puedes poner para cada ocasión. Ya sea el clásico combinado con un blazer o americana y camisa, de aspecto más serio y formal, o bien los de tendencia y fantasía, de líneas diferentes, con cortes y texturas inusuales, que nos abren un montón de posibilidades para parecer cada día un nuevo hombre o una nueva mujer, este pantalón tan versátil siempre nos sacará de apuros, no importa el sexo que tengamos.

La economía, que mueve al mundo, mueve también los hilos de la industria de la indumentaria. Es, por lo tanto, otro factor importante que condiciona la fabricación y distribución de la moda.

Podríamos decir que la moda es un arte. Existen trajes que pueden ser considerados como verdaderas obras de arte, por la creatividad, el diseño, y la técnica empleada en su confección, reconocidas socialmente y que podemos ver incluso en los museos.

¿Cómo se asocia el arte, la creatividad -conceptos tan abstractos-, con algo tan material como el comercio de la moda? Es necesario conjugar bien estos aspectos para poder dar al usuario la ropa que desea, en el lugar y el momento en que la necesita, y a un precio competente.

Cuando vemos un traje en una tienda, lo primero que solemos mirar son dos cosas:

• El diseño nos gusta/ la talla corresponde.

• El precio es asequible.

Arreglar el diseño o la talla para que el traje se adapte a nuestro cuerpo, es viable. En el precio, por desgracia, no nos suelen dar opción. Aquí entra en juego la **economía** de cada cual, interrelacionada con la economía del mercado mundial.

El objetivo de la industria de la moda actual es que el mayor número de consumidores pueda acceder al mayor número de ropa y complementos; la moda es creatividad, es transformación, pero también es gestión, marketing, organización. La empresa de moda tiene que generar riqueza.

¿Cómo se crea la moda?

Podemos considerar que ya hay industria en la moda cuando en 1858 el extraordinario modisto Charles Frederick Worth abre su primera Casa de Modas en París, en la que conjuga creatividad, diseño y conocimiento de los tejidos, con una nueva visión comercial del negocio.

Aprovechando la industrialización de Europa (la máquina de coser de Singer, los adelantos en los medios de transporte, ferrocarril y barco de vapor, etc.) Worth compra la materia prima más barata en zonas y países lejanos, exportando su producción con rapidez y seguridad. Las siguientes generaciones continuaron perfeccionando el sistema, hasta ahora.

La creación y comercialización es un proceso con múltiples facetas. No basta con la inspiración del diseñador; es necesario en primer lugar realizar un análisis continuo de las preferencias de los consumidores en cada lugar y segmento de edad, de las tendencias de las pasarelas, de la información de los distribuidores y comerciales y de los resultados de las ventas.

El total de este estudio pasa a los departamentos técnicos, donde los diseñadores desarrollarán sus creaciones y reciclajes, lo llevarán a producción y una vez acabado y realizados los controles de calidad, se distribuirá y comercializará. En las empresas más punteras se sigue un *critical path* de todo el proceso hasta la realización del prototipo, que es el primer ejemplar del que se sacarán las series de modelos.

Costes de la empresa de confección

Como toda empresa, produce unos costes. ¿Qué son los costes? A groso modo: el precio de un artículo es la suma de los trabajos que en él se realizan, añadiéndole el beneficio industrial. Los dos factores principales que determinan el coste de la mano de obra empleada en fabricar el producto son:

- El tiempo de fabricación.

- El valor de la hora de trabajo.

Abaratar costes… ése es el problema. La economía en crisis conduce al mercado de la ropa a minimizar los costes y utilizar nuevos recursos. Con este motivo, ha surgido en los últimos tiempos una nueva economía a escala mundial, *la economía global*, término que aparece a partir de los 70, en la que información, gestión, capital, materias primas, producción, tecnología, comercialización y consumo están organizados de forma integral, con modelos de producción flexible.

Son varios los sistemas con que operan este tipo de empresas actuales:

- Las que integran el diseño, el abastecimiento de materias primas, la producción, la distribución y las ventas con tiendas propias.

- Las que realizan diseño y fabricación, pero la comercialización sólo se hace ocasionalmente en tiendas propias, dejándose a cargo de franquicias o vendiéndose al por mayor.

- Las que subcontratan la fabricación a empresas pequeñas ubicadas en otros países que no tienen una reglamentación laboral adecuada, y provocan una economía sumergida en muchos casos. Así se consiguen abaratar costes y por consiguiente los precios de venta, pero en la mayoría de los casos es a costa de que los trabajadores soporten condiciones infrahumanas de trabajo.

La mayoría de las firmas del sector se extienden también a través de *franquicias*, actuando en gran cantidad de países. En la franquicia, cada empresa conserva su imagen de marca, poniendo en común una cultura y unos objetivos empresariales, con una economía cada vez más internacionalizada.

En el *sistema pull* se responde a una demanda real del usuario. No necesita análisis previo de mercado, sólo prever la demanda; así la empresa no tiene que soportar grandes stocks y la rapidez de respuesta es posible.

La logística (la gestión del tiempo que transcurre entre la creación de un producto y la llegada al punto de venta) es complicada en estas empresas. En Zara -modelo ejemplar- en el periodo récord de un mes diseñan, producen y hacen llegar a sus comercios de todo el mundo el producto, gracias a un exitoso modelo de distribución (dos veces a la semana) que la clientela espera con entusiasmo, pues siempre hay algo nuevo que ver y comprar.

La información y difusión del producto por todo el planeta es fundamental hoy día. La realizan distintos agentes -medios de información, periódicos, revistas, televisión, cine, publicidad, etc.-. Por esta vía, las modas se propagan a toda velocidad globalmente, aumentando la competencia de firmas multinacionales, unificando identidades y gustos.

On line: una compra diferente

La comercialización y consumo por Internet también ha contribuido a expandir el mercado y a abaratar los costes de las prendas de moda, puesto que necesita mucha menos infraestructura que el sistema tradicional de venta. Aunque la gran mayoría de la ropa se siga vendiendo en las tiendas, este modo de compra cada vez tiene más adeptos.

La principal ventaja de este sistema es el menor precio y que está disponible las 24 horas del día. El no examinar físicamente el producto hasta después de pagarlo es un inconveniente para muchos usuarios, puesto que la ropa no es equiparable a un televisor o un libro; la ropa es algo íntimo y personal, que tiene que sentarnos bien, y estamos acostumbrados a probarnos varios modelos hasta decidir con cual nos quedamos.

La venta on line acaba con el protocolo social de la compra de ropa y complementos; ¡no tiene el placer de "ir de tiendas"! Sin embargo, internet es un buen recurso para los que no tienen tiempo o les horroriza salir de compras.

El pago on line es algo a lo que el consumidor medio tiene que adaptarse; hay una cierta desconfianza en poner en la red los datos de nuestras tarjetas de crédito; los *Sistemas de Pago Seguro por Internet* se han creado para gestionar las compras desde empresas y bancos con garantía de seguridad para el consumidor; es mejor utilizar siempre estos sistemas para evitar fraudes.

Una emprendedora estrategia de mercado ha favorecido la fuerte demanda en prendas de moda a precios más moderados. Las páginas web de las empresas se han posicionado en muy pocos años entre las de mayor tráfico en el ranking mundial.

Multinacionales como Zara, también poseen una estupenda página web de venta on line. Podéis encontrar muy buenas ofertas de ropa de marca en las tiendas on line y outlet-on line de Levi's, Dress for less, Decatlhon, Mango, Urban outfitters, Guess, La Redoute, NikeStore, Ooofertón, y muchas otras. Existen también sitios de subasta de ropa y complementos de marca, en los que se puede pujar en la red, y sitios de venta on line de prendas de segunda mano.

¿Dónde se fabrica la moda?

Con la llegada del nuevo siglo, y tras el periodo de bonanza general de los años 1994 al 2000, la industria de la moda ha experimentado un importante retroceso en algunas zonas geográficas, propiciando una deslocalización de las grandes marcas hacia zonas como el Sureste Asiático, donde la producción es más rentable.

Las exportaciones de Asia a Europa son cada vez más elevadas; en los últimos años, hay un aumento de las exportaciones de países como Vietnam, India, Bangladesh, Brasil, Rusia y por supuesto, China, que se perfila como el primer suministrador.

En estos países las leyes son distintas. A veces se utilizan métodos que en Europa están prohibidos, como el de la peligrosa fabricación de desgastados vaqueros *sandblasting* o "chorro de arena", que tantas vidas ha costado a trabajadores del sector. Grandes marcas como Levi's o Inditex lo han prohibido en su cadena de producción, así como otras técnicas no recomendables, que resultan más baratas pero nocivas para la salud.

Las situaciones de crisis económicas en los países más desarrollados han propiciado un aumento de empresas irregulares, con trabajo ilegal y economía sumergida en todo el mundo. Tal es el caso, que se incluye parcialmente en la estimación del PIB de los países, y es sabido que muchas industrias legales de países con fuertes economías, recurren en algún momento a estas empresas "ilegales", ubicadas sobre todo en países de América del Sur, África y Asia.

El Banco Mundial y el Centro Internacional de Investigaciones para el Desarrollo (IDRC) ofrecen cifras sobre este problema, pero presuntamente están por debajo de lo real, pues es muy complicado certificarlo.

Así las cosas, podemos decir que por lo general las grandes marcas siguen siendo europeas y norteamericanas, pero la producción en serie está muy descentralizada y repartida por todo el mundo, sobre todo en Asia y África. La propia marca Levi's, un emblema mundial, ha trasladado a estos países parte de la fabricación de sus prendas.

Vestir por poco dinero. ¿La marca es símbolo de calidad?

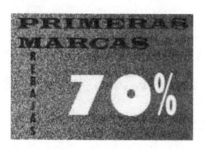

Hoy las prendas de vestir de ropa urbana sin pretensiones de marca están al alcance de cualquier bolsillo, siendo la oferta grande y variada para el consumidor medio.

¿Podemos obtener una prenda de calidad a bajo precio? Sí, pero hay que saberla encontrar. Por lo general, la ropa de calidad siempre es más cara; los buenos tejidos, diseños y confección la encarecen, así como que sea actual y de temporada. Si tu bolsillo no anda muy bien, no elijas prendas punteras de temporada, ya que la próxima estarán pasadas. Lo que está muy bien de precio es la ropa *low cost* y la ropa de marcas de calidad en tiendas *outlet,* hasta con un 70% de descuento en ofertas especiales. Son un buen sistema para vestir marca y calidad. En el apartado anterior de venta on line también tenéis sitios de precios ventajosos.

Como vemos nos podemos permitir vestir muy bien por poco dinero. La misma Kate Middleton, esposa del príncipe Guillermo de Inglaterra, lució para la noche un económico vestido de Zara, y suele vestir ropa de esta marca, que es muy asequible y tiene buena calidad.

Las temporadas de rebajas y los mercadillos de "pulgas" son otra buena opción para vestirse bien y con gracia por poco dinero. También la ropa reciclada; no tires ropa si está bien de uso, las modas siempre vuelven y además puedes combinar prendas que ya están un poco pasadas con otras nuevas, tan ricamente.

La obsesión por la marca se adueñó de nosotros en los 80 y continúa en la actualidad, sobre todo en el sector joven. La marca ha llegado a ser más importante que el producto que se vende. Es casi lógico, puesto que lo primero que salta a la vista en muchos de los anuncios de ropa es el logo de la marca; a veces hasta cuesta trabajo saber de un primer vistazo que es lo que se está anunciando.

La marca no es siempre símbolo de calidad, pero sí distingue socialmente al que la lleva y le aporta un estilo determinado. Cuando compramos un producto de marca, debemos exigir al fabricante y al vendedor la calidad que anuncia.

¿Cuáles son las mejores marcas de moda del mundo? Elegir una marca de ropa es algo muy subjetivo. Depende de los gustos, la edad, el sexo, el estilo e incluso de las posibilidades económicas de cada uno. *Muy caras, más clásicas y con prestigio:* Gucci, Louis Vuitton, Chanel, Armani, Tiffany & Co, etc. *Con prestigio, más casual y asequibles:* Calvin Klein Diesel, Naf Naf, Chevignon, Levi's, Zara, Mango y un largo etcétera, que podréis encontrar en vuestra ciudad o en internet.

¿Qué es la anti- marca?

Es la respuesta de algunas empresas y usuarios al exceso y vulgaridad de marcas en la moda, que surge hacia el año 2.000. La filosofía de las empresas pasa por no hacer campañas publicitarias agresivas, y ofrecer prendas de calidad sin marcas, dejando que el consumidor elija sin reclamos. La propia casa Adidas abrió en 2.004 una tienda "sin marca" en Londres.

Los partidarios de la "antimarca" no quieren alardear del logo de una u otra marca ni exhibirlo en sus prendas, lo que consideran darles publicidad gratuita; también creen que la imagen de marca puede encarecer el producto, con la misma calidad.

Las tiendas de "los chinos"

De que la moda esté al alcance de cualquier economía es responsable en gran medida la industria textil China, que ha penetrado con un poderío tremendo en el mercado. No podíamos cerrar este capítulo sin hacer una mención especial a este tipo de industria, que tiene aproximadamente el 40% de las exportaciones mundiales. Su modelo competitivo se basa en mano de obra barata, fuerte inversión y ventajosa fórmula de exportación, aunque la calidad del producto no es muy buena.

Las tiendas de "los chinos" se han esparcido por el mundo occidental, y gozan ya de una nutrida clientela, recelosa en un principio de la calidad de fabricación, pero que poco a poco va haciéndose fiel. Por otro lado, están mejorando su imagen tratando de romper con el estereotipo de gran bazar de los primeros tiempos, convirtiéndolas en boutiques que ofrecen productos de actualidad y diseños semejantes a los de las grandes marcas, a las que hacen la competencia con precios más bajos. Lo malo para el consumidor es que con el incremento de la demanda, los precios empiezan a subir, no así la calidad.

La producción no siempre se hace en China. Para que los costes sigan siendo bajos, al igual que en todas partes, hay algunas empresas que discurren al margen de lo legal para evitar las cargas fiscales, sociales, etc., y ocasionan un perjuicio económico al patrimonio del Estado; y no olvidemos que el Estado somos todos.

Además del fraude fiscal y la competencia desleal con las demás empresas del sector, los trabajadores soportan unas condiciones de trabajo a menudo sin reglamentación, en malas condiciones de salubridad, seguridad y sin derechos fundamentales.

Hemos visto los principales factores que condicionan lo que nos ponemos. La evolución del ser humano va ligada a la indumentaria. Los hechos históricos, los grandes inventos, y los famosos personajes de la historia influyen en la ropa que llevamos. Para saber cómo hemos llegado hasta aquí, conozcamos...

ANTECEDENTES DE LA MODA

¿Cuándo dejamos de ser monos desnudos?

El hombre dejó de ser un mono desnudo hace millones de años. Los testimonios conocidos del traje se sitúan ya en el Paleolítico, muchos milenios antes de nuestra era. A la par que el clima ha ido cambiando el modo de vida de las sociedades primitivas durante las diversas etapas y glaciaciones, el traje ha ido evolucionando. Parece ser que los primeros seres se colocaban encima del cuerpo únicamente collares o brazaletes, a modo de adorno.

La protección contra el frío durante los periodos de glaciación -la última fue especialmente dura- sería la primera razón para que el hombre primitivo cazador pensara en cubrirse el cuerpo, utilizando las pieles de los animales que cazaba. El traje se fue perfeccionando a medida que eran inventados útiles cada vez más sofisticados (estamos hablando de la Edad de Piedra). Primero masticaban con los dientes el pellejo del animal para poder ablandarlo y darle forma; más tarde empezarían a coser con nervios, crines y ligamentos de los propios animales y vegetales, a partir del momento en que se produjo el maravilloso invento de la aguja de ojo.

En los periodos templados o de clima tropical que sucedieron, los trajes son más leves, utilizando taparrabos o faldellines. Con el buen clima, podríamos decir que el hombre más se adornaba que se vestía, con toda suerte de collares, tocados, brazaletes, tobilleras, pectorales, etc., confeccionados con bolas de piedra, ámbar, barro, dientes y huesos de animales, marfil, conchas y vegetales. Esto nos hace pensar que no sólo la causa física de la protección fue la razón para vestirse, ni la simple utilidad. Existieron otras causas:

El carácter mágico hizo que el hombre se vistiera, sobre todo a partir del Paleolítico Medio, época en la que posiblemente aparecen las creencias religiosas. En las representaciones encontradas en las cuevas rupestres vemos imágenes asimiladas a la brujería, como la del "hechicero" en la cueva de Les Trois Frères. Este personaje, es interpretado como un ser con poderes mágicos. Disfrazado con cola de caballo y astas de ciervo, parece estar por encima de todos los demás e imprimir cierto respeto o temor.

Esta manera de "disfrazarse" tratando de presentar una apariencia superior con la intención de motivar a la sumisión a otro, es precisamente *ejercer la jerarquía* a través de la indumentaria, que es otro de los motivos que lleva al hombre a vestirse y adornarse desde los primeros tiempos.

> *¿Sabías que... la costumbre de tapar a los niños la boca al salir de la casa, además de por frío, tiene su origen en el significado mágico de que no entraran los malos espíritus al cuerpo?*

El pudor, (para algunos autores, influenciado o derivado de la religión) ha sido y es otro motivo para cubrirse el cuerpo. Es muy probable que la utilización de los taparrabos de piel para tapar las zonas genitales -también en los habitantes de regiones cálidas- tuviera una connotación de carácter religioso y considerado de culto y respeto. No podemos llegar a afirmar esta creencia, pero si es cierto que en el transcurso de la historia hasta nuestros días, el pudor de signo religioso incita, en la mayoría de los casos, a cubrirse el cuerpo.

La seducción, el gustar a los demás, ha sido una poderosa razón para vestirse y adornarse desde el principio de los tiempos. Esta finalidad no necesita realmente demostración, va unida al factor humano; y nacería y se desarrollaría de manera espontánea, entre los hombres y las mujeres primitivas, al observar como tal o cual adorno o vestido en cuestión, favorecía al individuo que lo llevaba, produciendo la respuesta más favorable en el otro, y de esta manera consiguiendo sus favores. Ni más ni menos que la teoría del estímulo-respuesta, o lo que ahora llamaríamos *"triunfar"* con un traje. Algo muy cercano a otra teoría: la de la evolución...

La visión de las mujeres danzantes del *abrigo* de Cogull (Lérida) nos lleva a relacionar esta imagen con la seducción. Esta pintura narra la vida cotidiana de hombres y mujeres, la caza, los trabajos habituales, etc. En la escena principal se ve a nueve mujeres con los pechos al descubierto y faldas acampanadas bailando alrededor de una figura masculina desnuda que exhibe un enorme falo.

Parece ser que están bailando una danza ritual fálica, posiblemente relacionada con la fecundidad, y aunque el fin último no fuese el seducir, si es cierto que las mujeres están vestidas para la

ocasión, con sus *pampanillas* hasta la rodilla, que mueven graciosamente. Seguro que estas mujeres prehistóricas invirtieron tiempo, esfuerzo e ilusión en confeccionar sus faldas festivas, esperando estar muy atractivas.

Diversos tipos de estas faldillas han perdurado hasta nuestros días, siendo utilizadas tal cual por algunas tribus actuales de África, América y Oceanía.

Otras prendas han subsistido también, como el traje de la mujer esquimal, procedente del traje de pieles paleolítico y que todavía se usa.

A partir de la última glaciación, el ser humano siembra, recolecta, almacena y domestica animales, iniciando un nuevo modelo de sociedad. La indumentaria se desarrollará a la par. Simplificando la evolución del traje, podemos dividirla en tres grandes fases:

1.- Desde la antigüedad hasta el siglo XIV: la indumentaria sufre pocos cambios. No existe un carácter nacional definido. Fundamentalmente es amplia, larga y con pliegues. Sin costuras en muchos casos, como la griega.

Hay poca diferencia entre el traje del hombre y el de la mujer; las principales distinciones las marcan las jerarquías políticas y religiosas que visten con tejidos de lujo, ropas más recargadas y joyas que el pueblo llano.

PEPLOS GRIEGO

Grandes civilizaciones nacen en Mesopotamia, Egipto, el Mediterráneo, China, India, América Precolombina, África y sucesivamente por el resto de lugares de la tierra. A medida que la escritura y las rutas terrestres y marítimas se desarrollan, se vinculan pueblos y costumbres.

Las costumbres en la indumentaria son muy distintas dependiendo de la civilización. A modo de ejemplo, todos recordamos en la gran película, a la majestuosa y seductora Cleopatra, última reina de Egipto, envuelta en fascinantes *kalasiris* de lino transparente y plisado, con manto y tocados de oro y piedras preciosas. Un vestuario propio de una civilización de clima cálido, donde las clases sociales bajas, los esclavos y los niños van completamente desnudos.

 *¿Sabías que... para que sus pelucas no perdieran forma los egipcios las dejaban en caballetes por la noche con un esclavo vigilándolas?*

En la milenaria China sin embargo, los trajes y los colores tienen multitud de significados, y de ninguna manera la desnudez es aceptada.

En el centro y sur de América se encuentran importantes civilizaciones, con un tipo de vida propio y diferente: Mayas, Toltecas, Aztecas, Incas... son pueblos distintos entre sí pero con parecida estética en la indumentaria.

La desnudez aquí era admitida, el cuerpo se adornaba, más que se vestía; en estos países donde hay miles de aves con el mejor colorido de la tierra, las plumas formaban parte de la indumentaria y eran muy apreciadas. El *poncho* es una prenda tradicional de estas culturas, que subsiste en nuestros días no sólo en América, sino en el resto del mundo.

Durante la Alta Edad Media europea, los trajes se cortan siguiendo las medidas naturales del cuerpo, utilizando sayones, túnicas y mantos. En la Baja Edad Media, los trajes son extra-largos y verticales, las vestiduras religiosas se hacen reglamentarias y perduran hasta nuestros días.

2.- Desde el siglo XIV hasta el XIX la indumentaria ya tiene un carácter personal y nacional. La nobleza y la burguesía exigen a artistas y artesanos diseños que los distingan a unos de otros, a la vez que mejoren y resalten sus figuras. Podemos decir que está naciendo la "Moda".

La ropa adopta cambios en la estructura, pasando de la ropa holgada a prendas más ceñidas, y se personaliza diferenciando no solo las clases sociales, también el sexo. Cada nación va adaptando su propia "moda".

El "aletargamiento" secular del Medievo va a desembocar en una nueva concepción del mundo y del hombre, con un deseo de saber y experimentar en todas las ciencias. Progresan la burguesía, las rutas marítimas entre Europa, América y Asia, y los recientes estados del viejo continente con sus nuevas formas de economía. Estamos muy cerca de los grandes descubrimientos, y de un renacer de las creaciones artísticas.

Sí, el Renacimiento europeo va a marcar la pauta en otro arte más: el del vestido. El siglo XVI es de lujo y fastuosidad en la indumentaria. En el vestido femenino aparece el *corsé*, pieza con armadura metálica que aplana el busto, pretendiendo conseguir esbeltez en el cuerpo, que se resalta con el volumen de las faldas, modificando la figura de la mujer.

El hombre italiano de este siglo resalta sus atributos viriles, la bragueta adquiere un carácter ornamental, forrándose de forma que sobresale de la silueta, y con colores. Las calzas se dividen por la mitad, con un rico colorido. La armadura metálica y los moldes metálicos en brazos, piernas, rodillas y pies se convierten en todo un arte de la vestidura militar.

Elegante s. XVII

Luis XIV, primer rey "fashion" de la historia, colocó a Francia como árbitro de la moda en el siglo XVII, promoviendo una moda masculina ajustada y recargada a base de pesadas sedas, encajes, lazos, flores, etc.; que dan un toque de feminidad al traje masculino.

Como este monarca tenía poca estatura, usaba unos zapatos de tacón alto rojo, cuyo diseño prohibió llevar al resto de los mortales.

Para cerrar su camisa, el rey adornaba su cuello con un pañuelo anudado blanco de seda y encaje, de origen croata, denominado *cravat*, que es el antecesor de la actual corbata. En fin, los parisinos pudientes de la época no podían pasar sin lazos, espejos, encajes, cintas, perfumes, bálsamos, afeites, oro... en contraposición a las mujeres, cuya indumentaria es mucho más sobria en este periodo, donde la silueta femenina adquiere una imagen completamente nueva: hombros alargados y cintura alta.

El siglo XVIII provocó una nueva ruptura con lo establecido. Es el "siglo de las luces" y de La Ilustración, el momento de la razón y del progreso. Los estudios y grandes inventos en tecnología, arte y ciencias dan un gran empujón a la sociedad. Se inicia la revolución industrial, se hace la primera declaración de derechos humanos, los primeros movimientos feministas... El vestido y la moda, evolucionan cada vez más en periodos más cortos.

El traje femenino innova la imagen con los vestidos *"volantes"*; más tarde llega el *miriñaque*, armadura de hileras de hojas de acero -en principio-, que daba volumen a las faldas. Tanto el miriñaque como el corsé son totalmente nocivos para la salud y muy incómodos. Pero la moda es la moda, y ya sabemos aquel dicho popular de que "para estar guapa hay que sufrir" ¡y vaya que si sufrían las pobres mujeres encorsetadas y emballenadas de aquellos tiempos! Todo sea por estar al día...

Pequeñas revistas de moda salen a la calle, con ilustraciones y grabados sugerentes. La clientela está informada y exige lo último; la competencia surge entre los creadores. Estamos entrando en la "modernidad".

Durante el final del siglo y comienzo del XIX, la Revolución Francesa influye intensamente en las relaciones con Europa y en el resto del mundo. La estética recargada del siglo XVIII termina de forma drástica. ¡*Liberté, égalité, fraternité ou la mort*! Clama el pueblo francés. ¡Fuera corsés, fuera armaduras, fuera lo "aparente"! ¡Viva lo natural!... También el cuerpo de las damas luce casi al natural, levemente cubierto por las muselinas de talle alto que hacen furor en los pocos años que dura el Directorio y durante el Imperio posterior.

El traje masculino civil es sobrio, de figura estrecha: calzón ceñido con botas de vuelta. Chaleco y un frac de paño abotonado. Redingote o levita larga. A mediados de siglo aparece el traje con las tres piezas del mismo color, precursor del **traje sastre** moderno llamado en su origen *tweed* -nombre del tejido hecho en Escocia, muy apreciado por su calidad-. La corbata empieza a ser un accesorio imprescindible en el traje.

3.- Mediados del siglo XIX hasta nuestros días: la moda tiende a ser cada vez más internacional. La Alta Costura une el traje personal con las tendencias del momento. La moda nace en la calle.

El Romanticismo es el periodo siguiente a las transformaciones que suceden rápidamente en poco más de 30 años. Inglaterra es la "sastrería de caballeros" que marca las tendencias. Los "dandis" ingleses (incluido el futuro rey Jorge IV) siguen a ciegas las reglas de George Brummel, apodado "el Bello Brummel" -considerado el súmmum de la elegancia de la época-, en lo que a vestimenta de trajes y complementos se refiere.

Los trajes ingleses se ganan a pulso su buena fama en cuanto a diseño, confección y calidad, con sus tres prendas: **chaqueta, chaleco y pantalón.** ¡Ah, y la corbata! El traje masculino se ha transformado. Entre los hombres se establece una forma de vestir que en esencia dura hasta el día de hoy.

¿Sabías que... cuando el Bello Brummel se anudaba la corbata, los dandis de la época iban a verlo como un espectáculo?

El vestido de las damas románticas vuelve a ajustar las cinturas, a utilizar los dañinos corsés para lograr la "cintura de avispa", y a ensanchar las faldas tanto como fuera posible con otro invento molesto: la *crinolina* y varias enaguas debajo de la falda y el polisón.

Dama con polisón. 1885

Sombreros, cintas, flores y perifollos, enmarcan las caritas dulces y pálidas de las mujeres.

Corren tiempos de mucha industria y muchos inventos. La máquina de coser de puntada cerrada, la lanzadera mecánica, las maquinarias agrícolas para la producción de fibras naturales, las de coser los zapatos, etc., colocan a Inglaterra, Estados Unidos y Francia a la vanguardia de la industria de la moda.

A la modista Rose Bertin, pionera en abrir su propia casa de modas, le sucede con la consideración de *padre de la Alta Costura*, Charles F. Worth, modisto que introdujo por primera vez las colecciones anuales de modelos exclusivos sobre maniquíes humanas. Con Worth, que firmaba sus modelos como obras de arte, las formas se suavizan.

Para conseguir una figura de busto adelantado, cintura fina y trasero pronunciado, se inventó un corsé que conseguía la forma de S, y proporcionaba a las sufridas damas sus buenos dolores de huesos, además de contracturas y deformaciones varias en la columna.

Algunos intentos por procurar algún traje más saludable para la mujer se realizaron en este tiempo. En 1.850, Amelia Bloomer creó los *bloomers,* pantalones anchos sujetos a los tobillos o la pierna (bombachos), que se consideraron una revolución en el vestir y una provocación para la puritana sociedad victoriana.

¿Sabías que... la cremallera se inventó como un primitivo cierre de grapas para botas a finales del s. XIX, y una vez perfeccionada por Gideon Sundbäck, a partir de los años 30 se utilizó ya en la industria de la moda?

A principios del siglo XX el modisto Paul Poiret prescinde del corsé, lo que representa una liberación para la mujer, y vuelve a los vestidos de corte imperio, flojos e inspirados en oriente.

Es éste un periodo de bonanza económica para el mundo en general. Las relaciones sociales se ponen de moda. Este tipo de sociedad exige a los modistos y creadores abundancia de diseños y rapidez de ejecución. Se abren grandes talleres y almacenes. ¡Estamos ya en una indiscutible industria de la moda!

SIGLOS XX Y XXI

La moda por décadas

1.900 arranca con la Exposición Universal de París. Los grandes modistos de alta costura (Worth, Paquin, Doucet y otros) pasean triunfalmente sus creaciones por el Pavillon de l´Élégance, dejando a los más de 50 millones de visitantes de todo el mundo -sobre todo a las señoras- extasiados con tanta belleza. París se convierte a partir de ese momento en la capital mundial de la Moda.

El vestido, a pesar de la "modernidad" sigue siendo complicado en las altas clases sociales, que siguen utilizando corsés y cubrecorsés, faldas largas acampanadas, sombreros recargados, perlas por doquier, costosas y pesadas plumas de avestruz, guantes, abanicos… ¡ah! y la sombrilla, que no puede faltar para conservar la tez blanca y distinguirse de los rostros morenos de las campesinas.

Hacia **1.910**, los Ballets Rusos imponen también su estilo oriental, volviendo loca a la alta sociedad, que vistió los salones con grandes escotes, pantalones bombachos, túnicas, pieles y turbantes. Las damas se maquillan como las artistas y cortesanas.

Grandes damas y sencillas trabajadoras necesitan por igual una ropa funcional sin perder por supuesto elegancia ni seducción. *Cocó Chanel* comienza a crear esta ropa, cuando el mundo estalla.

La 1ª Guerra Mundial viene a rebajar vanidades. Las naciones necesitan de hombres y mujeres, unos al frente de batalla, las otras a sacar adelante los trabajos abandonados por ellos. Ellas precisan tener las piernas libres de movimientos y acortan sus faldas. Los pantalones son holgados en uno y otro sexo, pero las féminas sólo los llevan puntualmente.

Después del luto, la recuperación es prodigiosa. Los supervivientes quieren olvidar el horror y los diseñadores (ya podemos llamarlos así) se ponen manos a la obra. Ya no se volverá a llevar la falda larga, al menos por imposición. Los conjuntos sencillos de punto, los abrigos, chaquetas y faldas rectas de Chanel tienen un encanto especial: la funcionalidad y el *"*look andrógino*".

En los **"felices 20"** todo el mundo quiere divertirse y olvidar las preocupaciones. El culto a los valores de la juventud nace en esta época. El mercado oferta dos nuevos elementos de ocio: los automóviles y el cine. Los actores y actrices van a convertirse en nuevos ídolos a los que imitar en figura, poses y vestuario.

Las damas de la posguerra eligen la pose de "mujer fatal" para componer su propia imagen de mirada sugerente enmarcada por gruesos trazos de kohl, boquitas de piñón pintadas de rojo intenso y falda corta; listas para la conquista. La competencia era grande: la proporción de la época era de tres mujeres por cada hombre.

El traje de las chicas liberadas en estos años antes de la Gran Depresión del 29 es recto y corto; la cintura se sitúa en las caderas, formando el *talle charlestón*. Las fajas elásticas aplanan el pecho, el vientre y el trasero. Los collares de largas tiras de perlas y las boas de plumas adornan cuellos y vestidos, balanceándose graciosamente al compás de la música.

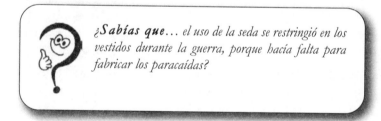

¿*Sabías que*... el tenista René Lacoste comercializó en 1927 el polo de tejido piqué de algodón con el famoso cocodrilo, y que se utilizan casi 20 km. de fibra de algodón en su confección?

El uso del automóvil pone de moda entre la gente elegante el *guardapolvo* y los abrigos amplios, de lana lisa o con cuadros, los largos foulards, guantes de piel y gafas mosca.

A partir de los **años 30** la firma Vionnet impone el corte *al biés*, modificando nuevamente la imagen femenina: pecho, cintura y caderas vuelven a aparecer adaptando el tejido a las curvas del cuerpo. Los trajes de noche dejan las espaldas por primera vez totalmente al descubierto.

¿*Sabías que*... el uso de la seda se restringió en los vestidos durante la guerra, porque hacía falta para fabricar los paracaídas?

El pecho se recoge bajo el primer sujetador de copas que crea la firma Warners; aunque el pueblo llano se fabrica sus propios sujetadores en tela de algodón o seda, con patrones de revistas o a la medida.

Con la 2ª Guerra Mundial el lujo se desvanece y el traje adquiere un aire militar, con hombreras marcadas.

Tras esta última guerra, los vestidos muy ceñidos y las faldas tubo, hacen su aparición, vistiendo a mitos eróticos de Hollywood que pasarán a la historia, como Marilyn Monroe o Rita Hayworth. Vestidos triunfadores que conseguían récords de taquilla en todo el mundo. ¿Quién no recuerda el traje de satén negro de Gilda, cantando su *Put the blame on Mame,* al tiempo que se quita el guante? ¿o el fucsia de Marilyn cuando cantaba aquello de "Los diamantes son el mejor amigo de una chica"?

Dior marca el estilo de **los 50** con su New Look: se acentúa el pecho por medio de **corselettes,* las faldas se hacen más grandes, colocadas sobre un can-can, o varios, hechos de tul, de nylon o de algodón almidonado.

Las fibras sintéticas han hecho su aparición abaratando el mercado y facilitando la vida de las amas de casa, pues son fáciles de lavar y planchar. Los colores son alegres y vivos, en contraposición a la tristeza de la reciente guerra. Los zapatos de tacón, llegando a la aguja.

Las adolescentes conjuntaban sus ingenuos vestiditos "repollo" de cuadritos vichy con "bailarinas", zapatos bajos que eran ideales para bailar el rock 'n roll con sus engominados chicos.

En la década de **los 60**, la población juvenil era muy numerosa, debido a la cantidad de nacimientos ocurridos después de la guerra. Los jóvenes vuelven a marcar las tendencias de la moda, demandando un estilo que se ajuste a su modo de vida, alejado de la alta costura; un estilo de calle. La cultura juvenil arrasa, rebelándose contra injusticias y criterios sociales establecidos. La música de grupos como los Beatles une a millones de seguidores en todo el mundo.

La minifalda, atribuida a la diseñadora inglesa Mary Quant revoluciona a partir de 1966 el mercado de la moda. Se impone una línea ingenua, despegada del cuerpo de forma natural, con poca tela, recta, busto poco pronunciado y escotes a caja.

Las faldas se acortan de modo excepcional, los talles suben. Las nuevas fibras sintéticas "inarrugables" permiten finos plisados. Las "minis" vienen acompañadas de los llamados en la época "leotardos" (ahora pantys) de todos los colores, y de las botas altas, siendo las blancas de charol una novedosa opción.

El diseñador Courrèges pone una bota para cada ocasión, y pretende modificar el sentido de la alta costura con una confección futurista, acompañada por los gorros-casco.

El prêt à porter comienza a desplazar a la alta costura.

A finales de los 60 las flores vienen a adornar nuestra vestimenta. Los hippies -movimiento contracultural antibelicista- muestran su estética natural, colorista y de cabellos largos, que rápidamente es absorbida por la sociedad y la industria de la moda. Los tejidos naturales, pantalones flojos o acampanados, faldas amplias hasta los pies, vestidos largos vaporosos, estampados florales y desteñidos, han dejado una huella tan importante en la historia de la moda, que aun ahora en pleno siglo XXI se sigue buscando inspiración en este estilo para las nuevas temporadas.

En **los 70** las consecuencias del movimiento hippie siguen presentes en toda la década. Los jóvenes se manifiestan tratando de buscar alternativas a una sociedad que no les gusta. Los conflictos mundiales Este-Oeste, el gran desarrollo del armamento, el terrorismo europeo, el petróleo, lo "antinatural", etc., provocan varias crisis. La moda no tiene un estilo concreto, pero sí una tendencia a volver a lo natural y prendas características: las faldas y pantalones acampanados, los zapatos de plataforma, las camisas entalladas de exagerados cuellos de pico con anchos puños, las chorreras, las chaquetas entalladas, los mini short y los maxi-abrigos.

Desde esta primera época "campana" hasta la llegada del movimiento punk (muy agresivo, al contrario que el hippie) de pantalones pitillo, todo tipo de ropa aparece. Chaquetas y pantalones de terciopelo, las minifaldas cubre-nalgas jamás antes llevadas, faldas *midi* y *maxi* y las envidiables melenas de capas de "los ángeles de Charlie", nos devuelven a aquellos tiempos.

La de **los 80** fue una época de tecnócratas, de postmodernos, de contrastes. Y de la *hombrera*. Como casi todos los movimientos contraculturales, la moda incorpora el look punk a la sociedad; el romanticismo vuelve también con la boda de Diana de Gales; los cantantes marcan tendencias: Madonna

corsélete exterior
años 80

vestida por el diseñador Gaultier (el llamado "*enfant terrible*") saca la ropa interior "vintage" al exterior, luciendo corsés agresivos y atuendos fetichistas; Michael Jackson, Prince y otros de imagen bisexual como Boy George, ponen de manifiesto una coquetería masculina guardada hasta el momento.

Los estilos ahora se suceden vertiginosamente de una temporada a otra. La búsqueda del éxito personal es una característica. Un nuevo personaje salta a la palestra social: *el *yuppie*.

Ejecutivos y ejecutivas adoptan un estilo un poco agresivo de vestir -*power look*-. El traje de la mujer es entallado, con grandes hombreras que transmiten autoridad; falda corta y estrecha y blusa elegante, a menudo de seda; gabardinas y abrigos sueltos con cinturón; los zapatos de tacón alto, imprescindibles.

Los elásticos y flacos cuerpos de los 70 pasan a la historia. Se desea un cuerpo deportivo, saludable, con energía. Los gimnasios, las dietas y la cirugía empiezan a tener sus años dorados. La celulitis se demoniza; los pechos se aumentan. Es la década de los diseñadores y de las top-models, en la que el vestido pierde interés cuando lo lleva una de las "divinas" que "no se levantan por menos de 10.000 dólares al día". El culto al cuerpo ha llegado.

Y sigue en **los 90**, con una generación joven, hijos de los inconformistas del 68, pero que tiene poco que ver con la ideología de sus padres. Sus intereses son las nuevas tecnologías, la información, la música tecno, las marcas… Las modelos de élite se han adueñado del glamour, pasando por encima de las divinas de Hollywood, y cada pasarela es un acontecimiento mundial. La modelo Claudia Schiffer coloca a la casa Chanel nuevamente en la cima; pero la gente va a verla a ella, más que a los trajes.

Conforme se acerca el fin de siglo, las diversas crisis económicas y la caída de ídolos e ideales en los más jóvenes, reflejan un gusto por el minimalismo en el vestir, tan "mínimo" que a veces, hay una vuelta al culto por la decoración del cuerpo, bajo una simple camiseta de tirantes. El estilo *"grunge"* -considerado como anti-moda- es mercantilizado a partir del éxito del disco Nevermind del grupo Nirvana; la comodidad es lo principal en la vestimenta. Los pantalones desgastados y rotos son *"lo más"*.

Prada marca tendencia en la década: ropa apagada, sencilla, prendas raquíticas lucidas por modelos despeinados.

El rancio protocolo no cabe en la vida cotidiana. Se puede asistir a teatros, conciertos, etc. con ropa incluso deportiva. El "ponte lo que quieras" impera en la calle. El chándal se convierte en una prenda básica para estar cómodo.

Los piercing y los tatuajes ocupan un puesto destacado en el adorno del cuerpo, que en muchas ocasiones son vehículos para "decir algo" a la sociedad; lo mismo ocurre con los mensajes estampados en las *T-shirts*, en los que se expresan todo tipo de opiniones e ideologías.

La nueva ropa técnica que ofertan las casas de ropa deportiva hacen subir rápidamente las ventas de estas prendas, que son utilizadas también para

Vestido minimalista años 90

cualquier ocasión que haya que ir cómodo. La *sudadera* es la prenda más utilizada.

La música rap, hip-hop, máquina, tecno, etc., definen estilos de ropa: pantalones de tiro muy bajo, deportivas, gorras... son representativas de estos grupos, que se adoptan también por jóvenes que no pertenecen a ellos. La búsqueda de identidad es una característica de estos últimos años del siglo XX, y también de los primeros del XXI.

No comienza el siglo XXI con grandes expectativas sociales. Los períodos de fortuna y crisis económica se suceden. La emigración de los países pobres hacia los países desarrollados es un fenómeno. La mezcla de culturas es un hecho que aporta riqueza de conocimientos, tradiciones y estética.

Con la llegada del nuevo siglo surgen jóvenes diseñadores a dirigir a los gigantes de la moda, como John Galiano para Dior, renovando con mucho acierto estas firmas, cuya ropa sigue estando sólo al alcance de las clases pudientes. Actualmente no existen corrientes puras, prendas estrella; se reciclan constantemente modelos de épocas anteriores. Ahora las marcas punteras de ropa joven son las que imponen lo que se lleva y unen tanto elementos de la alta costura anterior como de ropa de calle.

Lo positivo de este momento es que cada cual puede llevar prácticamente lo que quiera sin ser una víctima de las tendencias (aunque las fashion victim claro que existen, y muchas).

Actualmente diseñadores jóvenes sacan en sus pasarelas modelos de varias edades y tipos, lo que es una acertada innovación. Hay una mirada a modas pasadas para implantar los estilos del momento, que van desde la inspiración hippie a la futurista, con lo urbano en cabeza: pantalones anchos "raperos", ahora dejando ver la ropa interior; vaqueros *boyfriend* de tiro bajo, camisetas serigrafiadas de grupos musicales, pantalones

Oxford, minifaldas, blusas floreadas y shorts de inspiración sesentera, etc., un variado abanico de posibilidades, de acuerdo con nuestra personalidad.

El pantalón vaquero sigue siendo el rey de las prendas... El foulard se ha relanzado, de cualquier textura y color, como complemento indispensable, destronando al pañuelo.

Las prendas básicas, las que te sacan de un apuro en cualquier momento, son las más demandadas, junto con las ropas técnicas para deporte y calle.

Y el *leggin, pequeña pero gran prenda característica de este siglo, que ha sido una cómoda bendición para todo tipo de mujeres.

Los jóvenes diseñadores tienen un importante trabajo por hacer en el futuro más cercano. En ellos y en la economía global que mueve las empresas nacionales y multinacionales depositamos nuestra confianza para que la historia de la moda siga siendo interesante y hermosa.

VAMOS A VESTIRNOS

¿Conocemos bien nuestra figura?

Conoce tu cuerpo

Todo traje se coloca encima de una figura. Primero en las de las maniquíes, luego en las perchas y finalmente en la nuestra. Una vez que lo tenemos encima y nos miramos al espejo, pueden ocurrir dos cosas: que estemos encantadas de haberlo elegido o que nos quedemos "ojipláticas" de ver que nos sienta fatal.

¿Conocemos bien nuestra silueta? ¿Es alta, baja, delgada, oronda, zanquilarga, paticorta, pecho-tabla, tonelete, cabezona... proporcionada?

¿Y qué es eso de la proporción?... Si lo que queremos es simplemente estar bellas...

Pues parece ser que en la proporción está la belleza física. Eso decían ya los egipcios, Plinio, Leonardo y algunos otros. El ideal de belleza, sin embargo, no ha sido ni es el mismo en todas partes.

Centrándonos en nuestra sociedad occidental y en la población femenina, las medidas de perímetro de pecho-cintura-caderas son determinantes para ver la proporción; la altura es un factor a tener en cuenta, pues no da la misma imagen una mujer de 1,80 m. de altura, que otra de 1,55 con la misma anchura.

El peso relacionado con la altura nos da el índice de masa corporal, también a tener en cuenta. Si el índice está entre 19 y 25 se considera que nuestro cuerpo goza de buena salud, no tiene sobrepeso ni carencia; se calcula con la fórmula: $IMC = peso/estatura^2$; si además calculamos el índice cintura-cadera y nos da 0.7, las estadísticas dicen que estamos dentro de las más atractivas. Las medidas 90-60-90 (pecho-cintura-cadera) se consideran hoy día seductoras, aunque para todo hay gustos. La muñeca Barbie -ideal de belleza para muchos/as-, a tamaño natural tendría unas medidas de 91-50-83 aproximadamente, o

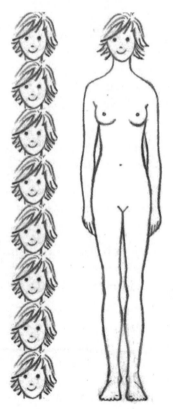

sea, o mucho pecho o poca cadera y la cintura de una niña. Estas son medidas irreales, pero al igual que otras heroínas de cómic o película, su visión y admiración nos van desvirtuando la realidad de las cosas.

La proporción también está relacionada con la medida de la cabeza; si la altura de una mujer es siete u ocho veces la medida de su cabeza, estará proporcionada. Pero nada es definitivo; factores tan importantes como la elegancia, el atractivo, la personalidad, el estilo, no nos lo dan las medidas, y raramente son innatos, es necesario conocerse bien. Así que vamos a mirarnos detenidamente y a tratar de mejorar algunos "defectillos" por medio del traje.

Puestas delante del espejo, podemos observar el tipo de figura que tenemos. En principio vamos a comprobar la proporción de altura y las de anchura.

De altura: la mitad de un cuerpo proporcionado ha de estar en la línea de la cadera.

De anchura: las tres medidas perimetrales se toman con una cinta métrica flexible, sin apretar el cuerpo, y de la siguiente manera:

- pecho: a la altura de los pezones.

- cintura: por encima del ombligo, en el punto de menor medida de perímetro.

- cadera: por la parte más ancha y más baja de la cadera.

¿Y la cabeza?... miremos la nuestra: igualmente tiene sus proporciones. También puede ser muy bella. Estudios sociológicos dicen que en lo que primero que nos detenemos al mirar a una persona es en su rostro. En el ¿qué me pongo? diario, las formas de la cara y los colores de nuestra piel, ojos y labios -junto con el peinado y la silueta-, están ya marcando la pauta para elegir un traje.

¿Qué tipo de rostro tengo?

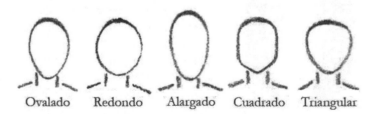

Ovalado   Redondo   Alargado   Cuadrado   Triangular

¿Qué peinado, maquillaje y gafas me sientan mejor?

Sobre estas tipologías básicas de rostros, veamos los peinados y arreglos que mejor le sientan a cada una:

Cara OVALADA. Es la mejor proporcionada. Le sientan bien todo tipo de peinados, maquillajes, gafas y complementos.

Cara REDONDA. Peinados altos con raya a un lado. Sin flequillo o flequillo irregular, a un lado o dejando caer mechones a los lados. Orejas tapadas. Pelo suelto con cortes desfilados hacia el rostro. Gafas cuadradas o con ángulos. Pendientes finos y alargados. Escotes y cuellos alargados y en V. Collares y fulares caídos a lo largo. Maquillaje: oscurece los contornos de las mejillas y colorete alto hacia las sienes.

Cara CUADRADA. Peinados altos, pero no mucho, con mechones caídos sobre las mejillas. Tupé. El cabello suelto siempre tapando la parte baja de las mejillas. Cortes desfilados y ondulados con volumen. Gafas redondeadas. Pendientes redonditos, lágrimas, aretes, finos, largos. Escotes en forma de corazón redondeado. Maquillaje: oscurece las mandíbulas; colorete hacia el centro de la cara, suave.

Cara TRIANGULAR. La melena por encima de los hombros es la que mejor te va, con más volumen en la parte de abajo y de línea irregular y ondulado suave. El pelo recogido a la altura de la nuca. Gafas ovaladas con los bordes superiores redondeados. Pendientes redonditos y pequeños, que no acaben en pico. Escotes cuadrados, barco y *halter*. Maquillaje: aclara la parte del mentón; colorete que resalte los pómulos.

Cara ALARGADA. Flequillo o visera, siempre. Peinados de melena corta dejando la cara despejada. Recogidos a una altura media de la cabeza. Gafas horizontales, cuadradas o redondeadas. Escotes y cuellos redondos y de barco. Pendientes redonditos. Colorete en horizontal sobre los pómulos, degradado hacia la nariz y las sienes.

Cara PEQUEÑA. La clave está en proporcionar con el cuerpo. Peinados con volumen. Cabellos en tonos claros. Gafas pequeñas. Pendientes pequeños. Escotes despegados de la cara. Maquillaje claro que dé luminosidad al rostro.

¿Qué le va mejor a mi figura?

Conocemos por las páginas anteriores como es la figura "ideal". La ideal y la rara, porque lo habitual es que las medidas se nos desvíen poco o mucho... Así que no nos desanimemos si no somos tan "ideales", que el atractivo no está en la perfección, sino en lo que transmitimos. Ya veréis lo fácil que es solucionar los pequeños "defectillos" de nuestra silueta. Para empezar, veamos unas reglas generales de percepción estética:

- **Las líneas horizontales** acortan la figura. Fig. 1.

- **Las líneas verticales** proporcionan esbeltez a la figura. Fig. 2.

- **Las líneas transversales y asimétricas** "distraen" las líneas y volúmenes de la silueta. Fig. 3.

- **El punto de atracción** del traje lo debemos poner donde queramos que vaya la vista en primer lugar. Fig. 4.

- **El color negro** siempre te hará más esbelta. Fig. 5.

Fig. 1   Fig. 2   Fig. 3

Fig. 4   Fig. 5

71

CON PEQUEÑOS ARREGLOS, GRANDES ÉXITOS

Cómo disimular mis "defectillos":

Hay variedad de prototipos que definen la silueta. A continuación hemos seleccionado los más simples y fiables, y algunos consejos para mejorar:

- **Talle corto:** la línea de cintura está por encima de los codos.

> *Si la desproporción no es mucha y estás delgada te hará las piernas más largas, que no está mal. Hay que buscar el equilibrio:*
> *No **marcar la cintura**.*
> *Prendas de arriba largas sobrepasando el talle; camisas ablusadas, sin ceñir o ceñidas en la cadera y de tejido vaporoso; vestidos de talle bajo y rectos o con salidas abajo; cortos o largos. Pantalones tiro bajo y muy bajo. Cinturones caídos, bufandas y fulares largos, caídos; **no tacones altos**.*

- **Talle largo:** la línea de cintura está por debajo de los codos.

> *Hay que proporcionar, para hacer una figura más esbelta.*
> *Nada **ajustado a la cintura**.*
> *Si tienes las piernas delgadas: vestidos cortos de una pieza. Los largos van bien a todas. Talle imperio o por encima de tu cintura. Prendas de arriba vaporosas. Pantalones de tiro normal o alto, sin ajustar demasiado. Cinturones anchos flexibles o tipo articulado. Zapatos altos.*

- **Reloj de arena:** medidas iguales en perímetros de hombros y cadera. Figura redondeada, cintura estrecha.

Si esta es tu figura, enhorabuena. Te puedes poner prácticamente de todo, en cualquier tejido y hechura. La ropa de confección industrial está hecha a tu medida; sólo tendrás que estar atenta a que el corte del traje no empeore tu bonito cuerpo y adaptar el largo.

- **Rectangular:** también son iguales las medidas de hombros y cadera, pero sus curvas no son redondeadas y la cintura no está proporcionada.

*Tu figura es cómoda de vestir con ropa deportiva; además suele tener cierto aire infantil y dinámico; si quieres suavizarla, **no marques los hombros; no a los tejidos gruesos o armados.** Usa prendas de arriba cortas encima de la cadera; tonos más oscuros en la cintura; rayas y dibujos sesgados. Con piernas delgadas: faldas cortas drapeadas y vaporosas.*

- **Rombo:** la cintura y el abdomen son anchos; hombros y caderas estrechos.

*Hay que proporcionar la figura. **No a la ropa ajustada, ni a los tejidos gruesos o vaporosos, ni a los cinturones.** Prendas amplias arriba con hombros rectos. Chaquetas sueltas de largo a partir de la baja cadera. Faldas y pantalones rectos o con algo de salida. Tejidos con caída, despegados del cuerpo. Colores discretos y en armonía.*

- **Triángulo o trapecio:** la medida de pecho es menor que la de la cadera. Es un tipo de lo más común. La pelvis ancha es una característica ancestral en la mujer, aún estando delgada.

Si la desproporción no es mucha, es una figura agradable y femenina. Para mejorarla: **no a las prendas muy ajustadas;** *prendas de arriba con hombreras o frunces en los hombros; escotes barco; chaquetas y blazer de corte clásico o con ligeros desahogos en la parte inferior; faldas rectas o evasés a partir del bajo de cadera, no muy cortas. Talles imperio sientan bien. Cinturones algo bajos. Colores claros arriba y oscuros abajo.*

- **Triángulo o trapecio invertido:** pues al revés que la anterior, la mujer de este tipo tiene la espalda ancha y suele tener bastante pecho. Las caderas y las nalgas no son pronunciadas.

Con una desproporción suave, y si además tienes un busto bonito y generoso, tu cuerpo es atractivo. Para mejorarlo: **no a las hombreras ni a las faldas y pantalones escurridos.** *Usa prendas de arriba de hombros naturales; escotes en pico; mangas sin volumen; chaquetas ligeras y airosas; faldas de corte redondo; pantalones redondos en cadera y airosos en bajos. Colores oscuros arriba y claros abajo.*

- **Ovoide**: como el anterior, pero sin líneas rectas en el cuerpo, se presenta una figura rolliza, aunque las piernas no sean gruesas.

Hay que proporcionar. **No a la ropa ajustada. Fuera las faldas estrechas y cortas, los pantalones pitillo, los cinturones y los zapatos de punta.** *Usa prendas amplias de tejidos con caída, que lleguen hasta la baja cadera o tres cuartos; prueba el talle insinuado bajo el pecho, con escote chimenea. Hechuras de líneas oblicuas; abiertas por arriba y por abajo (X) o rectas. Con hombros caídos: algo de hombrera. Pantalones rectos. Los leggins siempre con prenda de arriba tres cuartos. Escotes en V, cuadrados y chimenea. Colores discretos y estampados de líneas rectas verticales o sesgadas.*

- **Estatura alta:**

Hay que buscar el equilibrio. **Si eres muy delgada: no a las líneas verticales, ni a las faldas estrechas y largas.** *En general: buscar hechuras curvas. Usar trajes de dos piezas, de colores contrastados. Chaquetas cortas por debajo de la cintura. Pantalones mejor de pata algo ancha. Tejidos con trama. Estampados combinados con lisos. Cinturones al talle o un poco por debajo. Pañuelos de cuello con volumen. Zapatos tacón mínimo.*

- **Estatura baja:**

No a las líneas horizontales, a las faldas anchas y largas y a los cinturones anchos. *En general: buscar hechuras de líneas verticales y rectas. Vestidos de una pieza. Chaquetas cortas o clásicas. Camisas y camisetas básicas. Tejidos ligeros sin mucha caída; con caída para las más gruesas. Fulares finos dejados caer. Adornos con movimiento vertical. Zapato de tacón alto. Peinado alto.*

• Con sobrepeso:

Si tienes sobrepeso con cualquiera de estas siluetas, aplica los consejos para proporcionar tu figura para cada una de ellas, y además:
No uses prendas ceñidas, ni tejidos gruesos ni colores brillantes. *La discreción ha de ser tu aliada, sin ser aburrida. Siempre diseños de apariencia vertical y tejidos con caída. Coloca el centro de atención en tu mejor zona.*

Particularidades por zonas:

• Senos:

	NO	SI
Voluminosos	• Tejidos gruesos y brillantes • Cuellos halter y caja • Estampados grandes • Frunces y pliegues • Adornos abultados	• Tejidos con caída • Escotes en pico y caídos • Cuellos solapa • Rayas finas verticales • Sujetadores reductores
Pequeños	• Tejidos muy finos que ajusten • Escotes en V alargada • Camisetas con mucho escote • Camisetas muy ajustadas • Abertura de prendas central	• Tejidos con textura • Escotes redondeados, barco • Frunces, pliegues, pinzas y cortes en el contorno del pecho • Bolsillos sobrepuestos • Camisas sin cuello con corte fruncido bajo el pecho • Sujetadores con volumen (hay una amplia oferta)

- **Brazos:**

	NO	SI
Gruesos	• Brazos al aire • Mangas ajustadas, abombadas o fruncidas • Tejidos gruesos	• Brazos con manga • Mangas rectas despegadas hasta el codo o francesas
Muy delgados	• Tejidos muy finos que ajusten • Sisas muy escotadas • Camisetas de tirantes muy finos	• Tejidos con textura marcada • Mangas abombadas y fruncidas. Pueden ser cortas • Bolsillos y adornos sobrepuestos en mangas • Mangas marineras. Rayas horizontales

- **Tripa, michelines y "rollitos":**

NO	SI
• Tops • Prendas ajustadas y cortas • Pantalones de cintura alta • Cazadoras • Camisas entalladas • Faldas y vestidos con goma en la cintura • Rayas o dibujos horizontales en la zona prominente	• Camisetas sueltas con dibujos irregulares • Ropa en forma de trapecio, más suelta a partir del estómago • Chaquetas rectas y sueltas • Camisolas amplias. Cortes y frunces bajo pecho. Cortes transversales en la tripa • Escotes y adornos para centrar la atención arriba • Vestidos sueltos ajustados en la cadera • Petos y pantalones con bolsillos laterales

- **Nalgas voluminosas:**

NO	SI
• Prendas de arriba metidas por dentro del pantalón o falda • Faldas y pantalones ajustados • Tops ajustados • Faldas tubo • Rayas o dibujos horizontes en la zona • Colores claros y fuertes en la zona. Tejidos brillantes • Bolsos muy grandes • Jeans desgastados en el trasero	• Chaquetas semientalladas • Vestidos con amplitud • Mangas con volumen. Cuellos y escotes horizontales • Pantalones talle algo bajo. Rectos • Faldas evasé • Centro de atención en la parte de arriba • Prendas que no acaben justo en la zona prominente • Tejidos con caída. Rayas o dibujos verticales • Zapatos altos • Colores oscuros en la zona

- **Piernas gruesas:**

NO	SI
• Faldas y pantalones cortos • Pantalones ajustados • Faldas tubo • Medias • Tejidos gruesos • Medias estridentes • Botines • Leggins • Zapatos finos de punta	• Faldas y vestidos largos, amplios en parte de abajo • Pantalones rectos, trapecio, campana, sueltos y bombachos • Centro de atención en la parte de arriba • Tejidos con caída. Rayas o dibujos verticales • Medias oscuras que sujeten bien la pierna • Zapatos abiertos con tacón • Botas altas

- **Cartucheras:**

NO	SI
• Ropa de abajo ceñida y corta • Prendas de arriba metidas en la cintura • Pantalones pitillo • Prendas de arriba cortas con las de abajo ajustadas • Faldas tubo • Rayas o dibujos horizontales en la zona de cartuchera • Colores claros en la zona • Bolsos muy grandes colgados	• Vestidos en forma de trapecio • Vestidos *"*baby doll"* • Abrigos rectos con abertura • Chaquetas armadas en los hombros. Solapas anchas • Chaquetas largas con salidas a partir de la cadera • Faldas evasé y con vuelo a partir de la cadera • Camisolas amplias con aberturas lineales • Centro de atención en el torso • Pantalones bombachos y anchos a partir de la cadera • Colores claros prendas de arriba y oscuros abajo • Cinturones bajo pecho • Zapatos altos

- **Piernas muy delgadas:**

NO	SI
• Faldas y pantalones cortos • Leggins finos • Faldas y pantalones ajustados • Faldas tubo • Tejidos muy finos • Rayas o dibujos verticales • Medias finas y oscuras • Zapatos tacón muy fino	• Faldas y pantalones cortos con medias gruesas • Jeans y pantalones talle bajo rectos, fruncidos con pliegues • Faldas largas airosas, rectas, de punto • Tejidos con volumen, punto grueso, tejidos airosos • Rayas o dibujos horizontales • Colores claros. Estampados de colores • Tacón bajo y sandalias

- **Pies**

GRANDES, *utiliza:*	PEQUEÑOS, *utiliza:*
• Zapatos de punta redonda	• Zapatos de punta alargada
• Zapatos moda "retro"	• Botas
• Zapatos de punta cuadrada	• Zapatos escotados
• Pantalones extra largos	• Tacones altos y finos

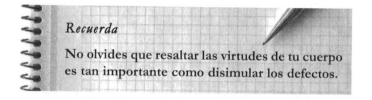

Recuerda

No olvides que resaltar las virtudes de tu cuerpo es tan importante como disimular los defectos.

Seguramente ya hemos conseguido mejorar bastante nuestra figura, sólo con unos sencillos conocimientos de proporciones y apariencia: un pliequecito por aquí, un escote bien colocado por allá, un color favorecedor, ese tejido que nos envuelve deliciosamente... estamos atractivas y nos vemos muy bellas, nos miramos otra vez y ¡nos gustamos! porque...

¿En qué consiste la "belleza"?

Estamos de acuerdo en que *no* consiste en la perfección. Siempre hemos oído decir: "*es muy guapa, pero sosa, no dice nada*", ¿verdad? Pues es que el atractivo es más importante que la belleza: la personalidad, el estilo y la confianza en nosotras mismas y en nuestros valores nos van a proporcionar este atractivo, ese es el camino. Los asesores de imagen de las famosas lo saben bien. Las nalgas de JL, que pudieron ser un inconveniente para lanzar su imagen en un mundo influido por la "estética Barbie", resulta que son un icono de los traseros actuales, envidiadas y valoradas en más de seis millones de dólares. ¿Qué quiere decir esto?, que se ha utilizado el arte de convertir un "posible defecto" en una virtud, con confianza en sí misma, dándole estilo y personalidad a la parte en cuestión. Tomemos ejemplo de ella; no nos escondamos, saquemos nuestro cuerpo a la calle con orgullo, estilo y personalidad, vestido con un favorecedor modelo. El éxito está asegurado.

¿Qué es "tener estilo"?

El estilo es la particular forma no sólo de vestirse, sino de "llevar" la ropa. Eres tú la que le das vida a los trajes, la que les infundes personalidad con tu forma de estar, de moverte, de gesticular. Un traje en una percha no es nada hasta que no lo colocas sobre tu cuerpo.

Hay una serie de estilos previamente marcados: *romántico* (tonos suaves, estampados pequeños, motivos tiernos, prendas ingenuas); *casual* (cómodo, urbano, práctico para salir a trabajar a diario); *clásico* (sobrio, prendas intemporales de cortes impecables); *cool* (original y vanguardista, siempre a la última); *country* (naturalista, tradicional); *deportivo* (comodidad ante todo, prendas técnicas, colores básicos); *grunge* (descuidado, sin armonía, desgastado); *sofisticado* (exquisito, sugestivo)…

Sea cual sea con el que más te identificas, siempre le pondrás tu propio estilo. Posiblemente te gusten cosas de varios, y esa es la riqueza de los estilos, dependiendo del momento puedes ser sofisticada, deportiva, natural, etc., y mezclar prendas, que es lo divertido; cuanto más creativa seas tendrás el estilo más actual y más tuyo. Y siempre sé tu misma, puedes fijarte en quien te gusta y en lo que te gusta, pero no imites a nadie, porque de las imitaciones salen mezclas raras, que anulan tu personalidad.

Para terminar con este capítulo, conozcamos unos apuntes sobre…

Lo que siempre favorece

Al menos mientras la moda no cambie, en la sociedad actual la apariencia de la figura "delgada" está valorada. Y más que la delgadez, para la ajetreada vida social y cotidiana, lo que más deseamos es tener un cuerpo sencillo y cómodo, al que "le valga todo". Que nos valga todo es casi una utopía, pero sí que hay prendas, colores y tejidos que…

…Nos van a hacer más esbeltas, sin tener que perder ni un gramo, como las que vemos a continuación:

- Camisetas básicas con escote desahogado.

- Camisas, blusas y vestidos camisero/as.

- Jerséis con pequeño escote de pico.

- Chaquetas clásicas rectas o semientalladas. Blazers.

- Chaquetas de punto fino caída recta, tipo "bobita".

- Pantalones y jeans rectos de tiro medio.

- Faldas no muy cortas o largas. Ligero evasé. Tejidos con caída.

- Tejidos de media textura y ligeros. Dibujos y estampados pequeños y en vertical.

- Zapatos o botas con tacón. Zapatos escotados.

- Fulares sueltos.

- Bolsos no muy grandes.

- Collares "dejados caer" en vertical.

- Peinados altos.

¿**Sabías que**... *existen unos jeans con tratamiento cosmético en el tejido que aseguran reducir la celulitis mientras los llevas puestos?*

El color es mágico

- El **negro, indiscutible** para parecer más delgada y disimular defectillos.

- El blanco, para dar luz en el interior cuando es negra la prenda exterior.

- Colores oscuros en general; los ocres y tierras también son válidos.

- Tonos fuertes como detalles, que combinen con el color del traje, que favorezcan nuestra piel y colocados donde queramos resaltar puntos de atracción a la vista.

- Las mezclas de color en vertical.

Lo que nunca se debe llevar si quieres parecer más esbelta

- Rayas anchas horizontales y estampados aparatosos.

- Camisetas anchas.

- Prendas con hombreras exageradas.

- Abrigos y chaquetas acolchadas.

- Jerséis de lana gruesa y con dibujos.

- Prendas muy entalladas.

- Pantalones de tiro muy bajo, bermudas, bombachos, de montar, gruesos y con vueltas.

- Pantalón dentro de botas altas.

- Faldas y vestidos fruncidos.

- Zapatos cuadrados, zuecos, voluminosos, planos, tacón ancho, botas anchas.

CON LA MISMA FIGURA...

+

DISTINTA ROPA...

DISTINTO RESULTADO

ESBELTA   NO ESBELTA

Higiene

No sólo el vestido y los complementos componen nuestra imagen. El traje está habitado por un cuerpo, al que hay que cuidar y preparar.

Aunque es elemental que la higiene personal tiene que acompañar a cualquier tipo de traje y en cualquier ocasión, haremos unos apuntes a modo de recordatorio de lo más básico para estar presentables en todo momento:

- *El aseo del cuerpo* ha de hacerse a diario.

- *La piel* ha de quedar limpia al final del día.

- *El cabello* tiene que lucir sano y brillante. La caspa arruina cualquier traje.

- *El bello de la nariz* y los oídos se cortará cuando sea necesario.

- *La dentadura* ha de estar sana y limpia. No se pintarán los labios con una boca descuidada.

- *El sudor* no debe aparecer por el traje, y mucho menos que salga el olor.

- *Las manos* son centro de atención en nuestra vida social. Siempre limpias e hidratadas, sin pellejos que las afeen. *Las uñas* ni muy ralas (porque hacen los dedos como porretas) ni muy largas. Ninguna uña debe sobresalir de otra. Es de mal gusto dejarse algunas largas, a no ser por cuestión profesional (ej.: guitarrista). Las fumadoras han de tener cuidado con no apurar los cigarros, para no amarillear los dedos.

- *Bigote, axilas y piernas* depiladas, así como todo el vello que destaque (en tanto la moda no cambie).

- Es habitual no cuidar los pies como al resto del cuerpo. Esto es un error. Los minúsculos huesos de los pies soportan toda la carga del cuerpo y tienden a deformarse; sobre todo con el uso constante de tacón alto. Limpieza, hidratación, descanso y masajes son necesarios para tener unos pies sanos y que se pueden lucir con cualquier tipo de calzado.

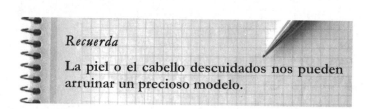

Recuerda

La piel o el cabello descuidados nos pueden arruinar un precioso modelo.

EL COLOR ES NUESTRO

Cómo utilizar el color

No hay figura sin color. Las tonalidades de nuestra piel, ojos, labios, cabello, etc., son particulares de cada individuo, y nos hacen ser únicos. Estas tonalidades, unidas a los colores que pongamos en nuestra indumentaria, hacen nuestra imagen.

El color es un factor clave en el éxito o el fracaso de un diseño. Para acertar con un vestido es fundamental elegir una adecuada combinación de colores, de entre las muchas que nos ofrece el mercado. Cada temporada nuestros ojos se acostumbran a los colores que marcan las tendencias; si por ejemplo este invierno se imponen los tonos ceniza, éstos nos parecerán ideales; ese mismo tono, dentro de unos años, nos puede parecer anticuado e incombinable.

La moda es así, variable. Pero cada año hay colores que nos favorecen a todas; sólo es cuestión de combinarlos bien. ¿Qué es exactamente combinarlos bien? Pues armonizarlos de tal manera que realcen nuestros encantos, sencillamente.

Los colores primarios, azul, rojo y amarillo, son colores "puros" que siempre van a estar presentes cada temporada. El negro y el blanco también. De la combinación de todos ellos saldrán las múltiples tonalidades que podemos elegir en cada tiempo.

¿Alguna vez te has parado a pensar por qué los médicos van de blanco o los jardineros de verde? Los colores hablan, tienen su significado y nos transmiten sensaciones que son comunes a la mayoría de los individuos. Inconscientemente reaccionamos al ver un color u otro, asociándolos a diversos factores, a los colores del planeta y la naturaleza.

Los colores pueden tener significados distintos dependiendo de la cultura de cada sitio. En el mundo occidental, suelen coincidir. Veamos qué nos dicen y cómo los mezclamos de la mejor manera:

Blanco: es un color psíquicamente positivo. Transmite armonía, alegría, sencillez, paz e inocencia.

Combina fácilmente con todos los colores dándoles luz. Al lado de tonos pálidos, el blanco aumenta la claridad de estos tonos. Combinado con beige, gris, negro u otro tono de blanco, aporta elegancia. Si quieres un aspecto juvenil puedes combinar el blanco con rosa chicle, verde primavera o azul medio; el azul marino y blanco es un clásico en prendas de primavera y verano, para día y para tarde. Combinado con azul verdoso sienta bien tanto a rubias como a morenas. El blanco brillante es el color más esplendoroso.

Tonos de blanco: son variantes de este color: *natural, roto, hueso, champán, marfil, crudo, diamante, camelia, brillante, etc. Si tu piel es morena*, te van bien todos los tonos de blanco, mejor el natural. *Para pieles muy blancas y pálidas*, los tonos calientes como el beige. *Para pieles blancas y rosadas*, los crudos y cremas. Si tienes un *buen tono de piel dorado*, el blanco roto. *Para pieles amarillentas*, el champán, por su fondo rosado.

El blanco es el color que menos absorbe el calor, muy bueno para zonas cálidas.

Negro: es controvertido; nos aporta elegancia, poder, seriedad, prestigio, misterio, sensualidad, y también acompañará nuestro duelo o tristeza si estamos deprimidas. La juventud también lo utiliza por su simbología negativa. Es el color más utilizado por los diseñadores, siempre permanece y siempre se lleva. Y lo mejor: **¡nos hace más esbeltas!**

El negro, al igual que el blanco, se combina con todos los colores, pero el resultado es muy distinto. El negro provoca una fuerte respuesta emocional. Si lo combinas con tonos vivos, el efecto será más dramático, los colores vivos se intensifican. Para otoño e invierno, combinado con tonos tierra, rojos oscuros y verdes oliva, el efecto es muy elegante. Con blanco, lo puedes utilizar en todo tiempo; dará frescura y energía a tu imagen. Utilizado para lencería y fiesta, el negro es el color rey, pero debe tenerse muy en cuenta el tejido y la hechura.

El negro es el color que más absorbe el calor; no se aconseja para zonas cálidas.

Rojo: es un color vibrante; es pasión, alegría de vivir, energía, y también peligro. En el vestido, es altamente atractivo y sugerente. Cuando nos colocamos un traje totalmente rojo vivo, sabemos lo que nos ponemos; nuestra intención siempre es, como poco, valiente. Y siempre llamaremos la atención.

El color rojo resalta sobre los demás colores, por lo que hay que tener cuidado al combinarlo, pues allí donde lo pongamos, irá la vista; es ideal para alegrar un traje soso y apagado. Es perfecto para la ropa de montaña y otros deportes porque se visualiza enseguida. La mezcla de rojo con blanco y negro es acertada. Con tonos muy brillantes y vivos (amarillos, verdes) el efecto es "chirriante". El rojo combina muy bien con los tonos neutros gris y crudo, siendo una mezcla juvenil y elegante.

Los tonos anaranjados, como el propio naranja, son muy vitales y estimulantes. Utilizados en pequeñas extensiones son muy útiles, pero en trajes enteros son demasiado agresivos.

Aunque el rojo es un color cálido siempre, ten en cuenta que los rojos tipo *Burdeos* (rojos oscuros o con algo de azul) son menos excitantes y llamativos. Si quieres hacer tu figura más sobria y elegante, ponte uno de estos tonos. Si deseas el efecto contrario, si lo que necesitas es estar seductora y fascinante, colócate un rojo *encarnado*. ¿Recuerdas el vestido de Kelly LeBrock en la escena principal de la película "La mujer de rojo"?, pues justo, justo, ése.

¿Sabías que... según un estudio realizado por la Universidad de Rochester el color rojo es el que nos hace más atractivos y deseables para el otro sexo?

Azul: transmite bienestar. Nos traslada hacia el mar y el cielo, dos elementos de relax y armonía. Sin embargo, también expresa reserva y frialdad en sus tonalidades más puras.

Hay cientos de tonalidades de azul. Mezclado con blanco forman los celestes que dan sensación de pureza, y son fáciles de coordinar, sobre todo con otros tonos de azul. El azul intenso combinado con negro es ideal para prendas de abrigo, y mezclado con tonos ceniza es elegante y sofisticado. El azul real (intenso) es el más fácil de coordinar e infalible cuando se lleva en pantalones y faldas. Este azul tiene tanto valor que aviva los colores con los que se combina, ya sean pastel, primarios o tierras.

El azul denim de los jeans combina bien con todos los colores, aunque no con prendas de mucho vestir. El marino es un básico que no debe faltar en el armario. No resistas a la tentación de lucir un top o vestido veraniego turquesa cuando estés bronceada; triunfarás con él en la tarde y la noche.

Amarillo: este color es alegre y estimulante; se le relaciona con el sol y la fortuna, aunque su significado negativo le orienta hacia la envidia y los bajos impulsos. En el vestido es un color sumamente llamativo; a él se irá la vista si lo llevas encima combinado con otros.

Con un traje entero de amarillo puro o intenso corres el peligro de parecer una farola; se te verá a distancia. Es mejor utilizarlo en pequeñas proporciones.

Combina fácilmente con los tonos pastel, con los tierras y los grises. Con tonos de azul verdoso y anaranjados dará luz y alegría al conjunto. El amarillo pálido te aportará dulzura y elegancia.

Verde: transmite tranquilidad, frescor, cercanía. Está unido a la naturaleza en su apariencia, a la fertilidad y a la vida. Asociado a la esperanza.

En sus tonos más fuertes es atrevido; en los medios combina bien con marrones y neutros; en los más claros -primaverales- con grises, beiges, rosas y violetas, le da juventud y frescura a tu rostro y a tu silueta. Con tonos crudos y negros se vuelve más frio y apaga los rostros.

✔ *"La que con verde se atreve, por guapa se tiene"*

(Refrán español)

El verde oliva es un clásico, que se pone de moda cada cierto tiempo; siempre lo combinamos fácilmente tanto con tonos vivos como con tonos tierra y rojos oscuros. La gama de los verdes azulados combinan prácticamente con todos los colores. El pistacho con rosa fuerte es ideal para vestidos muy femeninos, para fiestas y complementos.

Marrón: los marrones son acogedores. Transmiten seguridad y estabilidad. Van asociados a la naturaleza; son los tonos de la madre tierra, de la cosecha, de la fecundidad. En el traje, el marrón humo es un color básico que combina bien con tonos vivos, resulta fresco con el blanco y el beige y es elegantemente femenino con el rosa palo y el salmón. El avellana favorece a la mayoría. El camel es esencialmente elegante en abrigos, y armoniza muy bien con los oliva, crudos y negro. El beige es un básico que no debe faltar en el armario.

Violeta: es un color ambivalente; resulta de la mezcla de la calidez del rojo y la frialdad del azul. Y es privilegiado, porque tiene mucho encanto, allá donde lo lleves. Es sugerente, emocional y espiritual. Transmite profundidad, reflexión, dignidad. Es favorecedor en todos sus tonos, tanto en los morados como en los deliciosos y frescos lavanda o en el logrado berenjena. El lila es representativo de la lucha de la mujer por sus derechos y contra la violencia.

Los violetas arrasan en las tendencias de moda para todo tiempo y ocasión. Y en todas las prendas, tanto en chaquetas o abrigos como en ropa ligerísima, como la interior. Combinan bien con casi todos los colores, hasta con los de igual intensidad. Usarlos con cuidado con los azules y rojos; éstos habrá que colocarlos al lado para ver el efecto, pues juntos distorsionan. Los tonos más fuertes armonizan muy bien con verde, rosa, gris, blanco y negro. Con el verde esmeralda crea un efecto misterioso y sofisticado, al igual que con el negro.

Con los tonos de su propia gama (más claros o más oscuros) se logran conjuntos tremendamente agradables y con estilo. Los tonos de rosa (cereza, fresa, palo, ciclamen) combinan con el violeta dando un toque de seductora feminidad. Une los tonos más claros y románticos -como el lavanda-, con detalles de negro humo, azulón, verde vivo o rosa palo para conseguir un efecto cálido, actual y jovial. El púrpura combinado con tejidos brillantes, dorados y plateados en vestidos para ocasiones especiales, darán a tu imagen un envidiable glamour.

En definitiva, el violeta y toda su gama son colores todoterreno, en los que siempre encontrarás alguno que le vaya bien a tu cara y a tu estilo.

Rosa: las señales que nos envía el rosa varían según la intensidad del tono. Los rosas más cálidos y brillantes transmiten energía, juventud, dinamismo y sofisticación; son divertidos y excitantes. Los tonos más pálidos son ligeros, relajantes y sentimentales. El mensaje de los tonos claros y luminosos es romántico, femenino e inocente.

Los tonos fucsia y los que se acercan al rojo o al morado transmiten sensualidad y sofisticación, y son ideales en invierno para vitalizar y alegrar los fríos de la estación.

Combinaciones con rosa:

Los tonos vibrantes como el **magenta y el fucsia** combinados con negro logran un efecto *radical; sofisticado y atrevido* con el pistacho; *luminoso* con el blanco; *perfecto* con el gris; *primaveral* con tonos pastel.

El **rosa chicle** combina fácilmente con el azul fuerte, el gris, blanco y negro. Cuidado con los demás tonos, es fácil formar una mezcla chocarrera.

El **coral**, precioso tono cercano al naranja, combina bien con amarillos veraniegos, azules y grises.

El **rosa palo** nunca te fallará si quieres dar un toque elegante a tu vestido.

✔ *El color rosa siempre dará un aspecto juvenil a tu imagen*

Gris: es la discreción con personalidad. Su mensaje es formal, neutro, serio, elegante y también muy *casual*. Siempre estarás a la moda con el gris. Es el color más utilizado para actos serios y entrevistas, después del azul. Sus tonalidades van desde el elegante gris oscuro marengo al claro y dulce gris perla.

Es combinable con todos los colores, volviéndose autoritario si va con negro o azul oscuro; suave con tonos pastel, o más sofisticado según tenga al lado un color vivo y brillante.

El gris plata es frío, pero hace que brillen a su lado los tonos medios y pastel.

El gris marengo tiene casi la misma cualidad que el negro: nos hace más esbeltas.

Las mezclas que siempre quedan bien: gris-rojo-negro y gris-negro-blanco

¡Cuidado! Este color es muy versátil, lo puedes usar para todo, pero abusar de él puede dar un aspecto aburrido, mediocre y a las más maduras, "de abuelita"…

Dorados y plateados: simbolizan el oro y la plata. Se asocia al lujo, la sofisticación, la fiesta y el glamour. El dorado es poderoso, llamativo y sensual; donde se ponga atrae las miradas. El plateado es también sofisticado, pero delicado y lunático.

Coordinan bien con todos los colores y se pueden usar tanto para el día como para la noche. A todos les dan un toque glamuroso y brillante. Combinados con negro y blanco, el éxito está asegurado.

Los plateados van mejor con tonos fríos: con azul real, verde esmeralda, gris o morado. Preciosos.

Los dorados, con verde hoja, amarillo, turquesa, rojos, gris oscuro, marrones, beige... cualquiera de ellos aumentará su valor con un dorado al lado.

Los glitter y metalizados coordinados con tus prendas harán tu imagen actual, dinámica y valiente.

Tipos de colores en la indumentaria

Básicos: **blanco y negro**

Fríos: azules, verdes y los morados con mayor componente de azul.

Calientes: rojos, amarillos, naranjas y los morados con mayor componente de rojo.

Refrescantes: verdes azulados, verdes claros luminosos, turquesa.

En contraste: son dos o más colores opuestos en composición e intensidad. Ej.: verde/naranja.

En armonía: los tonos están coordinados por la misma intensidad de color, o por gama (un color dominante y sus complementarios).

Neutros: blanco, grises medios y claros, crudos y beiges.

Pastel y Pálidos: tonos suaves de color. Los pálidos son los pasteles con un tono menor de color y más blanco en su composición.

Luminosos: alegres y vitales, que aportan luz a tu rostro.

Opacos: no transmiten luz. Son colores de efecto concentrado.

Brillantes: los de mayor luminosidad. Pueden llevar fibras metalizadas en su composición.

Ácidos / Flúor: los más vibrantes y destacados a la vista. Ej.: verde limón.

¿Qué color me sienta mejor?

Cabello oscuro y piel morena:

En general, todos los tonos fríos te sentarán bien, y las tonalidades intermedias calientes.

Blanco. Negro. Rojo. Azul. Combinaciones de rojo y negro. Rojo y gris. Azulón. Rosa. Verde esmeralda. Ciruela y beige. Los tonos pastel endulzarán tus facciones.

Lo que menos te favorece: los tonos marrones y los grises claros y medios.

Cabello oscuro y piel clara:

Para estas "morenas claras", los colores más favorecedores son: Blanco. Negro. Rojo. Morado. Azul en toda su gama. Rosa. Tonos pastel. Amarillo con marrón. Gris con rojo.

Si tienes la piel con tono amarillento o cetrino, mejor no utilizar el amarillo. Siempre tonos rosados.

Cabello oscuro y piel negra:

Te sientan bien todos los colores, sólo tienes que tener cuidado con los contrastes chillones.

Lo que menos te favorece: los grises, marrones y negros. Son demasiado oscuros para tu piel.

Cabello rubio o castaño claro y piel clara:

Por mucho que estés cansada de oírlo, el azul pastel y el rosa son dos colores que efectivamente te sientan bien. Además:

Tonos fríos. Negro. Rojo Valentino. Tonos pastel. Azules no muy oscuros. Lavanda. Amarillo y naranja suave. Beige rosado. Gris azulado y marengo.

Si tienes los ojos azules o verdes, los azules verdosos y verdes suaves en las prendas de arriba quedan fabulosos.

Lo que menos te favorece: Colores básicos llamativos.

Cabello dorado o pelirrojo y piel clara:

Eres a la única que realmente le sientan bien los marrones fuertes y los tonos otoñales. También otros tonos te favorecen:

Oliva. Dorado. Amarillo. Verde –sobre todo el esmeralda-. Crema. Melocotón. Negro. Gris marengo. Verde con algo de azul si tus ojos son azules.

Lo que menos te favorece: Blanco puro. Azul marino. Rosa azulado. Gris claro y medio.

Decidirse por una tela también tiene su "aquél". Hay que conocer un poco el comportamiento de los tejidos sobre nuestra silueta para no gastar tiempo y dinero en un traje que queda ideal en el escaparate, pero que luego se nos pega demasiado, o nos horroriza el estampado, o sudamos como desesperadas dentro de él, por poner un ejemplo.

El tejido va siempre ligado al diseño y al color de moda, y puede alterar tu imagen al igual que la línea y el color. Un tejido liso y "con caída" siempre te hará más esbelta que uno estampado de grandes flores y sin peso.

¿Cuántas clases de tejidos hay? ¿Por qué unas veces son ligeros, pesados, rígidos o flexibles? ¿Cómo saber qué tejidos nos sientan mejor? ¿En qué ocasión? ¿Para qué tiempo?

En cuanto vemos y tocamos un tejido, ya podemos apreciar si es:

• de un solo color o con dibujos (por tejeduría o estampados).

• fino o grueso.

• grado de rigidez (muy blando o con mucho cuerpo).

• elástico.

• textura.

• caída.

• para frio, calor, o todo tiempo.

De un solo color o lisos: valen para cualquier ocasión. En el capítulo anterior sobre *Cómo utilizar el color*, ya vimos el valor de cada tono.

Con dibujos por tejeduría o estampados: pueden ser *rayas, espigas, lunares, cuadros, clásicos, vanguardistas*, etc.

• *Las rayas y dibujos* discretos diagonales disimularán tus zonas más voluminosas. Las *rayas verticales finas* y no muy contrastadas de color, te harán más **esbelta**. La *espiga suave*, **elegante**. Los *cuadros*, **juvenil**, pero no esbelta. Los *lunares*, **femenina**, y favorecedores si son pequeños. Los *clásicos*, como el cachemir, **intemporal**. Los *vanguardistas*… ¡ojo con ellos! Siempre parecerás **actual,** pero ¡no te pongas cualquier cosa con tal de ser moderna!

• *Estampados*: el color se deposita en la tela. Busca el colorido que mejor te siente. Su cualidad es que distraen nuestras mayores curvas pero aumentan la figura, sobre todo si son grandes y vistosos. No estilizan la silueta.

Finos y gruesos: una misma fibra, como la lana, puede producir tejidos más finos o más gruesos, que usaremos según nos interese. Los tejidos finos, sean frescos o cálidos, darán naturalidad por lo general a tu figura; si son finos y rígidos, como el tul, fantasía. Si son tupidos y oscuros, también esbeltez.

Los *gruesos*, lógicamente, aportan volumen a la silueta. Suelen utilizarse para el frío.

Rígidos o blandos: los *rígidos* o con cuerpo estructuran la silueta con líneas firmes y rectas. Son idóneos para trajes sastre, abrigos, vestidos de novia y fiesta, pantalones sólidos… y siempre que no quieras tener la ropa pegada al cuerpo ni que se marquen tus curvas. Ej: loneta.

Los *blandos* se adaptan a tu piel, haciendo tu silueta natural o vaporosa, si la hechura es holgada. Ej: la gasa.

Elásticos: Se adaptan y ajustan al cuerpo, sin necesidad de cortes ni pinzas, por lo que son los mejores para moverse con comodidad. Se le puede dar elasticidad a cualquier tejido, incluyéndole la fibra elástica (lycra, elastan, etc.) en su composición. Ej.: vaqueros elásticos.

Textura: tocar una tela es una sensación extraordinaria. A veces sin necesidad, deslizamos los dedos una y otra vez sobre el género, distraídamente, sintiendo el tacto del tejido. ¿Qué estamos averiguando? Pues la *textura*.

Los tejidos no sólo transmiten emociones al que los ve, también a nosotras mismas. Las texturas suaves aportan confort, elegancia y calidad; las texturas más gruesas, ásperas y clásicas como el *tweed*, distinción y estructura; los *brocados*, si son de seda, lujo y brillantez.

Caída: las telas con *caída* siempre te harán parecer más esbelta y airosa. Una tela tiene caída si cuelga con peso, naturalidad y suavidad. Si te acompaña con peso y garbo los movimientos, es que tiene buena caída; no hace falta más. Ej: el crep de seda.

Frío, calor, todo tiempo: en invierno los tejidos son cálidos y protectores, siendo más utilizados los gruesos y texturados que en verano. Existen en el mercado tejidos *sintéticos* que aúnan finura y ligereza con unas propiedades térmicas cada vez más extraordinarias, para frio, lluvia, nieve, deportes, anti-manchas, anti-peeling, anti-humedad, etc. Los diferentes tejidos, tratamientos y membranas (Gore-tex, Windstopper, Hyvent, Duvet, 3MScotchlite, etc.), aíslan y protegen a la vez que transpiran. Al ser tejidos finos y flexibles, nos permiten lucir una silueta esbelta y no pasar frio; eso sí, suelen ser más caros cuanto más favorecedores.

Para climas cálidos, el *algodón* es el tejido rey porque es fresco, tiene infinidad de texturas -desde la más fina muselina a la más gruesa loneta, al vaquero o al piqué-, y además, no se arruga como el lino y es económico.

Normas para el cuidado de los tejidos

¿A quién no se le ha quemado la camisa preferida con la plancha, o se le ha teñido en la lavadora, o el vestido tan caro salió hecho un acordeón? Tantas penosas ¿o jocosas? anécdotas que contar en nuestra precipitada vida doméstica... ¿Sabéis por qué pasan estas cosas?... ¡¡Por no leer las etiquetas!!

Bueno, no solamente por eso. Hay otros cuidados a tener en cuenta para conservar bien las prendas; tened la seguridad de que los tejidos tienen vida, y mientras más se les cuide, más larga será.

Cuando compres una prenda, mira las etiquetas; ellas te dirán la composición del tejido y el modo de conservación. La forma de lavar es muy importante. Se pueden lavar en lavadora incluso las prendas en las que recomiendan "a mano", siempre que las laves en un programa corto, para tejidos delicados, en frio y sin centrifugar o centrifugado leve.

• Antes de meter una prenda por primera vez en la lavadora, mójala primero para ver si destiñe o encoje.

• Mira las etiquetas y clasifica tu colada. No mezcles ropa blanca o clara con ropa de color; ni ropa delicada con ropa normal o fuerte. Separa los tejidos naturales de los sintéticos. Separa la lana y los tejidos con pelo de los que no lo tienen.

• Las prendas con entretelas se deben de lavar en seco.

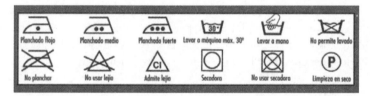

• Aplica detergente específico en puños y cuellos muy sucios antes de lavar.

• Mete tus prendas delicadas en una bolsita para lavadoras.

• Para que no se apelmace el relleno de anoraks y prendas similares, mete unas pelotas de tenis en la lavadora.

• No seques los tejidos delicados en secadora. Utiliza el centrifugado suave y si son de lana, sécalos sobre una toalla en superficie horizontal, para que no se deformen.

- La ropa negra se lava junto con ropa negra o muy oscura; si no, se agrisará.

Ropa blanca:

- No utilices ropa interior blanca cuando lleves prendas oscuras o negras porque perderá el blanco para siempre.

- Procura no utilizar lejía, porque amarillea los tejidos naturales y algunos sintéticos.

- La ropa blanca sintética no la seques al sol. En general, el sol fuerte no es aconsejable.

- No planches con la plancha muy caliente, porque amarillea los tejidos.

- Las manchas difíciles en ropa blanca se pueden lavar en agua fría con 1 cucharada de agua oxigenada por litro.

- **Seda:** es un tejido muy delicado. Muy sensible a la luz, no debe secarse al sol. Lavado en frio, secado y planchado muy suave; se plancha del revés, para evitar los brillos, y con una tela fina entre el tejido y la plancha. Nada de cloro. Le atacan los insectos, por lo que se debe guardar muy limpia.

- **Terciopelo o velour:** es delicado de conservar. Se puede lavar en lavadora, pero muy suave y sin centrifugado, porque le salen surcos que no se quitan. Hay que planchar del revés, pasar un cepillito suave y sacudir la prenda para realzar el aspecto del tejido.

- **En el armario** es mejor que toda la ropa esté colgada, no doblada. Barras de altura suficiente para la ropa larga. La ropa de uso poco habitual, colgada en bolsas, para que no coja polvo.

UN TRAJE PARA CADA OCASIÓN

En la vida cotidiana, el traje casual es el rey. Si pudiéramos contemplar la vida en el planeta de un vistazo, observaríamos que millones de personas nos vestimos con este tipo de indumentaria, porque es la más adaptada para la mayoría de actividades que realizamos en el día a día; trabajo, paseo, compras, etc.; es fácil de adquirir -existen multitud de tiendas- y el precio suele ser asequible a distintas economías.

Aparte de estas actividades cotidianas, hay ocasiones en las que nos tenemos que vestir de una manera especial, acorde con lo que vamos a realizar. Desde el rígido uniforme militar, hasta la ropa más informal y alternativa para ir "de marcha", hay multitud de funciones para las que el traje ha de ser diferente, que nos dan la oportunidad de poder lucir otras indumentarias estupendas:

FIESTAS: elegir un traje para una fiesta es una actividad bien placentera. La fantasía está en nuestra mente; todas hemos soñado con ser "la reina de la fiesta", "la más bella del baile". Se trata de encontrar algo sumamente favorecedor, único y exclusivo; no importa que el precio se nos dispare un poco, estamos de fiesta y hay que disfrutarlo...

Hay tres condiciones mínimas que tiene que tener un traje de fiesta:

1. Que el diseño esté de moda.

2. Que sea original.

3. Que los tejidos y materiales no sean "los de todos los días".

Las fiestas o eventos pueden ser más o menos formales.

• **Fiestas formales:** en este tipo de fiesta, pueden enviarnos junto con la invitación el *dress code* o protocolo de vestuario que hay que seguir. Aunque así sea, las chicas tenemos mucha libertad de acción para elegir que nos ponemos. Si vamos acompañadas por un hombre, tendremos que ir acorde con la etiqueta que se le exija. Básicamente se utilizan dos tipos de traje:

• **De cóctel**.

Este tipo de traje es válido para cualquier hora del día y tanto para grandes como para pequeños eventos. Es el paso intermedio entre el traje de noche y la ropa normal, y en términos de protocolo se considera de media etiqueta. Puede acompañar a un frac o esmoquin masculino si es muy lujoso, y a un traje oscuro si es más sencillo.

Es un vestido siempre corto, a la rodilla o un poco por encima o por debajo de ella. Las formas y los tejidos pueden variar, dependiendo de la temporada. Las sedas y los *lamés*, son los tejidos más utilizados, e incluso el cuero para las más atrevidas y vanguardistas. Los bordados, brocados y pedrería aportan lujo y brillantez al traje. Te puedes poner de todo, pero si no estás muy segura y quieres ser discreta, lo mejor es mantener un corte clásico. En el protocolo más formal, se reservan para el día los tonos más vivos y los más discretos para la noche.

✔ *Para bailar busca un traje con el que te muevas cómodamente y que además realce la gracia de los movimientos de baile*

Complementos: siempre. Se pueden combinar trajes clásicos con complementos vanguardistas, o viceversa, y quedan estupendos. Se admiten sombreros; también los de fantasía. **Los bolsos**, pequeños; los de mano son ideales y también los de materiales lujosos. **Las medias** deben llevarse en cualquier tiempo; harán más bellas vuestras piernas. **Los zapatos** con o sin tacón; eso sí, siempre a la moda y con el estilo del traje e incluso si el diseño lo requiere, forrados de la misma tela. **Joyas, bisutería y pedrerías** varias, alegrarán y darán caché a tu imagen ¡Pero con prudencia! No recargues mucho tus adornos, o parecerás un escaparate.

✔ No olvides que las pamelas acortan la figura

• **De noche**

Con este traje podemos explayarnos y lucir "nuestras mejores galas" y nuestros mejores encantos, puesto que nos permite tapar o destapar el cuerpo a discreción.

El traje de noche es un traje largo y se le exige que sea elegante. La elegancia en este caso no está reñida con llevar grandes escotes, espaldas al aire y alguna que otra abertura. Estarás preciosa luciendo un escote palabra de honor, V muy pronunciada o corazón sobre una piel tersa y cuidada y unos senos bien colocados.

Pueden usarse pantalones; de tejidos suntuosos y combinados con tops quedan ideales; el traje esmoquin femenino también se utiliza, aunque lo más tradicional sigue siendo el vestido largo; puesto que el esmoquin femenino no se admite para acompañar a un señor con frac o esmoquin.

Tejidos: preciosos y de fantasía. La seda, tanto en tejidos muy finos (gasas, muselinas) como en más gruesos (satén), es la reina de la noche. Terciopelos, *lamés*, encajes, *lurex*, incrustaciones de pedrería, lamas metálicas, lentejuelas, etc.

Colores: el negro es el rey de la noche. Aunque valen todos los colores, la más formal etiqueta recomienda tonos discretos. Es más elegante un solo tono que hacer combinaciones de colores por zonas.

El *brillo* no debe de faltar. Si ya el tejido es muy brillante o con pedrería, **las joyas** serán pocas y más discretas; si el tejido no brilla, podemos fantasear más con las joyas, siempre de calidad y que no distraigan tanto que no se nos vea, ni a nosotras ni al traje. Perlas para las más clásicas.

Los *zapatos* siempre altos de tacón. Dependiendo de la tendencia del momento, la forma y el tacón variarán. Podemos jugar con el estilo y color del traje; si no lo tenemos claro: negros, dorados o plateados. **Busca un modelo cómodo, que no sufran tus pies.** Medias, siempre.

✔ *Tienes que recordar la fiesta por lo bien que lo pasaste, no por el dolor de pies que tenías*

El *bolso* de mano y de materiales lujosos y originales, combinados con el traje: metálicos, sintéticos de lujo, pedrerías, lentejuelas, concha, plumas, etc.

Se pueden llevar guantes largos, por lo general de raso. Si el traje lo requiere, de encaje o red. **No olvides quitarte los guantes para comer.**

Abrigos de fantasía, chaquetas de lujo, capas –largas o cortas–, chales, mantones, etc. *Pieles* de pelo.

Al *peinado*, recogido o suelto -lo que más nos favorezca-, también podemos echarle fantasía, en la forma y en los adornos. Perlitas, brillos, plumitas, etc., combinarán bien con el cabello.

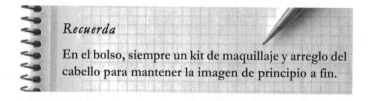

Recuerda

En el bolso, siempre un kit de maquillaje y arreglo del cabello para mantener la imagen de principio a fin.

- **Fiestas informales:** en las fiestas informales parece que "todo vale". Pero tanto sean con un grupo de amigos o familiares -donde impera la confianza-, como si nos invitan a algún evento que tenemos que ir "por compromiso", debemos ir bien arregladas. Sin lujo, pero con estilo y calidad. Hay gran variedad, que resumimos en dos tipos:

- **Celebraciones al aire libre**

DÍA	NOCHE
• Tejidos: **poco lujo**. Algodones y sedas. Linos en verano. Lycras, strech,, lustrel y tejidos elásticos. Lanas finas. • Estampados.	• Suelen celebrarse en primavera y verano. • Tejidos: seda en todos sus tejidos: gasa, satén, tafetán, etc. Lino para las noches de verano. Alguna pedrería.

• **Mejor vestidos cortos**. También largos en verano, de tejidos finos.	• Vestidos cortos y largos escotes, tirantes y aberturas.
• En piscinas: bañadores, vestidos sueltos transparentes y ligeros; pareos largos.	• Trajes sastre en lana fina, lana fría o seda.
• Trajes sastre y trajes de fantasía cortos.	• Pantalones rectos o anchos, con caída. Plisados.
• Combinaciones de faldas y pantalones con blusas de fantasía y fulares de tonos vivos.	• Tops de fantasía.
	• Blusas de fantasía de seda.
	• Abrigos de fantasía y piel.
• Jeans de diseño.	• Bolsos pequeños de mano de fantasía. Clutchs.
• Abrigos de moda.	• Zapatos altos. Botines.
• Zapatos de tacón, medio o alto. Sandalias.	• Joyas y bisutería sin o con poco brillo.
• Bolsos de mano o bandolera.	

En celebraciones al aire libre que incluyan actividad deportiva se llevará aparte el equipamiento para realizar el deporte. Los deportes que se practican y luego tienen un lunch, almuerzo, comida, etc., son muchos y variados: tenis, golf, equitación, pádel, regatas, excursionismo, deportes de nieve, aviación, etc. El traje en estas ocasiones será más sencillo, en armonía con los tonos de color que dominen en la actividad, puesto que, por ejemplo, no es lo mismo el colorido de eventos náuticos (dominio de azules y blancos) que los de caza (verdes y tierras). Los jeans de calidad con camisas siempre quedan bien; trench; suaves jerséis sport de cuellos desahogados; blazers; chaquetas deportivas; camisetas de diseño; zapatos deportivos y medio tacón; botas. Bolsos deportivos de cuero, tejido y combinados; bandoleras. Imprescindibles: fulares y/o pañuelos de seda.

- **Celebraciones en espacios cerrados**

Dentro de espacios cerrados, la fantasía puede ser más desbordante si estamos entre amigos más íntimos o familia. Nos podemos permitir el lujo de colocarnos encima eso que nos gusta y que no está muy dentro de "norma", o que no es lo habitual en nuestro estilo.

Hagamos lo que nos apetezca en ese momento y para esa ocasión, dejemos volar la imaginación. Quizás queramos aparecer como una diva de Hollywood o tal vez una *new grunge*. ¡Pues venga! démonos ese gusto. Aunque tengamos que oír decir a los buenos amigos el consabido: "¿pero... de qué vas?" eso no nos va a importar. Dentro de todas nosotras hay varias mujeres, que salen de vez en cuando, envueltas en distintos trajes ¿o no?

Si no tenemos esas tentaciones, nos puede valer la misma indumentaria aconsejada para espacios abiertos o mixtos (pág. 110-111) con la salvedad de la ropa para piscina al aire libre u otros eventos que requieran ropa más específica, que ya nos indicará el anfitrión.

¡Nos vamos de boda!...

... ¡y todo el mundo tiene que estar guapo!

La protagonista

Si para asistir a una fiesta has puesto tu ilusión y fantasía, imagínate para ir de boda todo lo que vas a poner... ¡sobre todo si es la tuya!

Tu sueño se va a hacer realidad, y tiene que quedar perfecto, tal cual lo has soñado. Pero esto conlleva un trabajo extra, que pasa por planificar, buscar, encontrar, organizar, presupuestar... y por fin que tu silueta luzca tan hermosa que seas capaz de sorprender y seducir a tu novio cuando te vea llegar y que todos recuerden lo encantadora que estabas ese día.

La protagonista eres tú, la que se casa. Así que déjate llevar por tu instinto, para componer tu figura, porque no hay fórmula mágica: tú eres única. Sólo ponerse manos a la obra y saber unas cuantas cosas:

1. *Piensa* lo que te quieres poner ese día y los complementos que necesitas. Recuerda que todo tiene que ser con mucha antelación.

2. *Mírate* al espejo y sé realista. Puedes perder algún kilo pero la silueta no cambia. El traje tiene que proporcionar tu figura, disimulando tus zonas menos agraciadas y resaltando las más hermosas. Puedes mostrar un bello escote palabra de honor, o unas piernas finas y torneadas, brazos o manos

bonitas, fina cintura… En el punto que consideres más atractivo de tu cuerpo, debes fijar la atención del traje.

3. *Busca* un tipo de vestido acorde con tu estilo. El estilo no pasa de moda.

4. *Examina* diseños y colores. Elige el tono de tela que mejor vaya con los tonos de tu piel, ojos y cabello. Si quieres que tu traje sea blanco y eres de piel blanca y/o rubia, te van mejor los blancos dorados, champán y marfil; si tu piel es morena, el blanco total te queda muy bien.

5. *Si estás embarazada*, ponte el tono más oscuro del blanco, un tejido fluido y una línea natural disimularán mejor tus curvas; pero no las escondas; es estupendo estar embarazada y celebrar tu boda. Las embarazadas tienen unos rostros preciosos, ya lo verás en las fotos. Centra el punto de atención en la parte superior del traje.

6. *Valora* tu economía. Siempre habrá modelos supercaros que te deslumbrarán; pero casarse no es malgastar el dinero; hay preciosos modelos que se adaptarán a tu bolsillo sin necesidad de quedarte "a dos velas". Ya verás que se generan muchos gastos adicionales, y te parece que no acabas nunca de pagar y pagar.

7. *Consulta* opiniones a madre, hermanas, amigas… y a los hombres de la familia. Los chicos son sinceros; aunque no te guste lo que te digan, escucha su opinión.

> **Recuerda**
>
> Ten en cuenta las preferencias de tu novio en tu traje de boda. ¡No le des una sorpresa desagradable!

En las modernas ciudades multiculturales, se celebran bodas de distintas religiones y bodas civiles.

Las interesantes y coloridas bodas de diferentes religiones las dejaremos para otro libro; en el apartado siguiente veremos las diferencias entre la indumentaria de boda civil y la religiosa católica.

Si **la boda es civil** y se celebra por la mañana, el vestido será corto y con la fantasía que tú quieras; la duración del acto es muy corta y el ambiente "de oficina" que suele haber no da para mucho faroleo. Si pretendéis ir a vuestro estilo, pero elegantes: fuera las pedrerías y los peinados y tocados muy complicados y voluminosos. Si es por la tarde permite más fantasía.

Los tejidos y colores dependerán de la estación del año y de las tendencias de la moda. Los zapatos: muy importantes. Elige los que te gusten, aunque sean un poquillo caros. El estilo dependerá de la novia (o los novios) y de si quieren seguir la moda del momento. Sea cual sea el estilo que se adopte (sobrio, clásico, romántico, punk, deportivo, etc.,), siempre hay que anteponer lo que nos siente bien, eso ante todo; y piensa que este vestido de boda sí que te puede valer para otra ocasión.

En cuanto a los acompañantes al acto, la mejor recomendación es que no deben desmarcarse mucho del estilo que tengan los novios. Me viene a la memoria una boda civil en la que tres de los invitados iban de góticos radicales, sobresaliendo entre el resto de invitados y de los propios novios, que iban vestidos todos de lo más normalito. Desde luego que aquel día la novia no fue la única protagonista; y bien que lo recuerda.

Si esto mismo llega a pasar en una boda católica y además de alcurnia, la cosa hubiera sido más sorprendente. **Las bodas en la iglesia** tienen otras normas más específicas, y los invitados deben de informarse del tipo o estilo de la ceremonia, e ir acorde con él.

El asistir a una ceremonia dentro de una iglesia requiere cierto recato en el vestir, tanto para la novia como para los asistentes. Aunque a continuación vayamos a ir al banquete y al baile, dentro de la iglesia los enormes escotes y la ropa demasiado escasa no proceden; siempre hay que tener a mano un chal, echarpe o abriguito para estas ocasiones.

Si tu boda es religiosa, tu traje puede ser corto o largo. Generalmente se prefiere el largo -que es más solemne- y en tonos de blanco. Existen infinidad de catálogos donde podrás encontrar tu traje ideal. El estilo suele ser tradicional, aunque las últimas tendencias apuestan por una novia blanca un poco más bohemia, con flecos, plumas, etc. Cuidado al elegir los tejidos y la forma: la fecha, el lugar y la hora condicionan como han de ser.

La fecha: tejidos ligeros y transparencias con buen tiempo; rasos más pesados y pieles para el frío.

El lugar: ciudad o campo, ermita o catedral, mucha humedad o poca… ¿puedes ir andando, en coche, cerca, lejos? Todo esto influye en tu traje. Si vas a estar tiempo sentada en el coche, vas a sudar, etc., elige un tejido que no se arrugue. Si tienes que subir el monte hasta la ermita, elige un modelo que sea cómodo y no arrastre. Si hay mucha humedad, elige un peinado recogido que se mantenga, etc. Las colas son para lugares cómodos.

La hora: una regla general: los brillos para la tarde-noche. Por la mañana poca pedrería y pocas joyas, o relucirás como una farola, y eso es un poco chabacano.

¿Sabías que... el escote preferido por las novias es el palabra de honor, que se rediseña cada temporada?*

Complementos:

Elígelos cuidadosamente, pues pueden embellecer o deslucir tu figura. Utiliza:

* Pendientes y joyas en general no ostentosas. Alguna antigua puesta estratégicamente queda muy bien. Ni grandes, ni largas, ni muchas, ni de colores vivos, ni por supuesto, reloj. Sólo tienen que dar luz a tu piel, no anularte.

* *Medias* siempre, pantys no. Los pantys son muy incómodos para ir al baño.

* *Zapatos* bonitos y estilosos, incluso botines o sandalias, pero cómodos. El tacón que estés acostumbrada; si no, será una tortura o acabarás quitándotelos.

* *Guantes* sólo si el modelo lo exige. Y pocas veces son necesarios. Nunca con pedrería.

- *Ramo* sencillo, si es largo con una bonita caída. No tiene que tapar tu traje, ni ser incómodo de llevar. Ensaya primero delante de un espejo, andando con él.

- *Velo*, mantilla, tocado: todo en relación con el vestido que hayas elegido. Las simples flores, horquillitas, pasadores, o pequeñas joyitas sobre un peinado adecuado son suficientes.

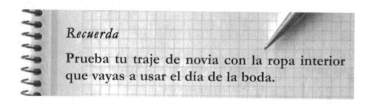

Recuerda

Prueba tu traje de novia con la ropa interior que vayas a usar el día de la boda.

Los acompañantes

Ir de boda ilusiona tanto o más que ir de fiesta. Casi ponemos más cuidado en la boda, por el aquel de que tenemos que adaptarnos a la comparsa, y, después de la novia, ¡queremos ser las más divinas! Incluso para las solteras deseosas de dejar de serlo, pues ya se sabe que "de una boda sale otra"... así que cuidadito con lo que nos ponemos en esta ocasión, que nuestro traje puede pasar a la historia.

Hay muchas clases de invitadas, cada cual con sus características: madrina, madre, hermana, cuñada, amiga de toda la vida, compañera de trabajo, suegra... mucha diversidad. Pero sepamos unas pautas básicas:

- **El** color blanco lo lleva la novia. Podemos usarlo, pero mejor optar por otro color.

- **No** nos disfracemos. Las extravagancias no quedan bien en estas ceremonias. Trajes **actuales**, alegres y de fantasía.

- El traje de dos piezas con chaqueta siempre queda bien.

- Mamás, suegras y cuñadas: cuidaros de no llevar colores y trajes iguales o muy parecidos.

- Si eliges sombrero, tiene que ser acorde con tu cara y tu apariencia. Pruébalo con el traje que vayas a llevar.

- Zapatos: tan altos como los aguantes. Llévate recambio para el baile.

- Si se lleva mantilla, mejor negra y sencilla, sujeta con un broche trasero.

- Bolsos pequeños siempre. Joyas sí, pero no "escaparate joyero". Guantes largos o cortos. Los hay divinos para acompañar a trajes chaqueta y abrigos.

- Mucha fantasía en chales y mantones. Que sean amplios, ligeros, y acompañen graciosamente nuestros movimientos. Probadlos primero, para ver como se mueven.

> ✔ *Sombreros aconsejados: pamela para la mañana; sombrero por la tarde; tocado por la noche.*

Bodas de plata, oro, brillantes...

Cada aniversario de vida en común, es digno de celebrar.

La mayor felicidad es poder disfrutar con tu pareja una larguísima vida en armonía. Se pasan muchas etapas, unas mejores que otras; pero si con el paso de los años te sigues sintiendo querida y valorada, y a su vez sigues amando ¡eso hay que celebrarlo!

No importa si han pasado cinco, diez o cuarenta años, ¿sabes que según la tradición puedes celebrar cada aniversario? Todos tienen un nombre propio, aunque los que más se suelen celebrar son los 25 (bodas de plata) y los 50 (bodas de oro); si llegáis a cumplir los 75 juntos (bodas de brillantes) es como para tirar cohetes y si tenéis hijos, nietos y biznietos, que os abracen, os mimen y os regalen todo lo mejor del mundo, porque lo merecéis.

Pero volvamos a las galas que nos vamos a poner para estos alegres días. La indumentaria es de ceremonia o fiesta. Se lleva vestido o traje corto, al ser una celebración de carácter familiar. En ocasiones se hace un ritual religioso, en el cual el vestido puede ser largo. Los colores, los que más te favorezcan. Pasados tantos años, ya sabes bien que es lo que mejor te sienta, y como le gustas más a tu pareja; así que no te preocupes por esas arruguillas, que son la belleza de la experiencia, y ponte muy guapa.

Elige un traje, ya sea entero o dos piezas, que te siente requetebién y que los sorprenda gratamente. Juvenil, sin complejos, adaptado a tu imagen, para rejuvenecerla. Nada de trajes pesa-

dos y decimonónicos. Cualquier color, incluso el blanco, reme-
morando aquella primera vez. Seguro que te regalan alguna
joya: lúcela orgullosa; los zapatos, todo el tacón que aguantes.
Los mantones y chales son un buen recurso para tapar, para
abrigar, para seducir. Un estimulante masaje corporal, un buen
tratamiento facial y… ¡muchas felicidades! Sigues tan guapa
como siempre, ¡disfruta de tu día!

Los quince años / Quinceañera / Quinces

En países de América Latina se celebra una gran fiesta muy
bella y particular, cuando las chicas cumplen quince años.

En cada país tiene sus propias características, aunque el motivo
es igual en todos: celebrar la iniciación de la mujer en la vida
social; el paso de la niña a mujer. Y se celebra por todo lo alto,
con toda la alegría y el cariño del mundo por parte de los
padres, los familiares y los amigos que darán la bienvenida a la
nueva etapa de mujer adulta.

Para ello se realizan bonitas invitaciones, se engalana la iglesia
-en su caso-, el salón, se elige el banquete, los chambelanes, la
música, el automóvil, los recuerdos, el álbum de fotos, el vals,
el baile sorpresa, el viaje si se puede…

Y lo que más le preocupa a nuestra damita: el vestido.

Ese día tienes que ser la más bella entre las luces, los brillos y
las flores; lucirás por encima de todos.

El vestido para la quinceañera es corto para el día y largo y muy
vistoso para la noche. Existen dos tendencias muy definidas: la
formal (más clásica y recargada) y la casual (actual y minimalista).

La forma más demandada es la de princesa moderna: escote
palabra de honor, cintura ajustada y falda muy amplia y vaporosa.

Pero cada quinceañera tiene un estilo, y hoy día puedes encontrar vestidos de todo tipo, desde los de princesa clásica con corpiño y brocado de seda, muy armado, hasta los inspirados en el traje típico nacional, muy del gusto de algunas niñas que están fuera de su país. Sea cual sea tu estilo (clásico, romántico, casual, etc.) el traje quedará lindo, por la fantasía que lleva y el tono ingenuo que da la edad.

Los tejidos: seda en tafetán, organzas, tules y tendencias actuales.

Colores: con el blanco siempre acertarás; los rosados sientan muy bien, ya seas rubia o morena. Puedes seguir los colores de moda, brillantes incluidos; hay tonos muy bonitos cada temporada (violetas, verdes, azulones), dejando los oscuros y el negro para detalles o combinaciones de color.

Complementos: actuales. Si llevas corona, discreta; si son recargadas parecerás una vieja reina. Anillo. La medalla o colgante que te regalen. Los guantes, largos y de seda. En algunos países es costumbre llevar un ramo de flores, siempre ha de ser pequeño y alegre.

Los zapatos son importantes. Si realizas el *cambio de zapato* todo el mundo se fijará en ellos, y también al bailar. Necesitarás dos pares como mínimo:

De niña: bajos, lisos (bailarinas o incluso deportivas).

De mujer: para la presentación tienen que darte glamour, por lo tanto siempre han de ser exclusivos y muy llamativos, con un toque de brillos, plumas, etc., aunque juveniles y elegantes. Dependiendo de tu estilo, si eres más clásica quedan muy bien forrados de raso a juego con el vestido, con alguna pedrería o adorno. Las sandalias stiletto con strass son ideales para todas con buen tiempo, y los zapatos con glitter de tonos brillantes, dorados y plateados son preciosos en toda temporada.

Para descansar los pies, que ese día no paran, puedes llevar un par de zapatos más que te pondrás (siempre después del vals) si ya no soportas los taconazos. Recuerda que han de ser igualmente glamurosos, aunque el tacón sea más cómodo.

Para el baile sorpresa, elige los zapatos que mejor vayan con tu coreografía. Pueden ser incluso deportivas, si es rockera o actual, pero con un toque de brillo o lentejuela. Las hay muy bonitas en las zapaterías.

La mamá: consiente a tu mami y ayúdala para que luzca muy bella, con un estilo elegante, juvenil y alegre; las mamás siempre cuidan de los demás antes que de ellas, así que un buen *spa* relajante, nuevo corte de pelo, un vestido favorecedor ¡y mami linda y renovada! Que ese día también sea muy feliz para ella.

El papá: es el que suele presentar a la quinceañera, realizando rituales tradicionales que afectan incluso a la indumentaria (fijaros si es importante) como el cambio de zapatos. En varios países el papá cambia los zapatos bajos de su hija por otros de tacón, dándole la entrada a la vida madura. Es muy emotivo para él. Aconséjale un traje formal pero actual, que puedas presumir de papá.

Los acompañantes: aunque sean tan jóvenes como la protagonista, su traje ha de ser formal para la celebración.

El traje de tu chambelán o acompañante principal ha de ir de acuerdo con tu estilo y tiene que resaltar tu belleza ¡ayúdale a elegirlo, y pruébalo junto a tu vestido! Para todos existen diseños que realzarán tu glamour: smoking o frac clásico; casual actual; el divertido rockero que nunca falla (traje negro ajustadito, corbata fina y zapatos punteros o sneakers de diseño); el estilo muy vanguardista, con el look a la última, que impactará a todos….

En algunos países los acompañantes son catorce parejas, que suman quince con la principal, como símbolo de los quince años. Los acompañantes deben ir con el estilo de la pareja principal, *sin que ninguna luzca por encima de la protagonista.* Revisa los trajes para que sea un espectáculo vistoso y encantador, con colores coordinados. Muchas parejas con tonos pastel en el salón de baile, bajo las luces, hacen un efecto maravilloso. En este caso tu vestido debe ser o un tono más claro o más oscuro que los demás, para destacar, y que no coincida tu color con el de ningún otro vestido.

Diviértete, sé muy feliz y triunfa con tu maravilloso traje.

Nos vamos de viaje

En nuestra era de la comunicación, viajar está a la orden del día. "El viajar es un placeeeer…", nos decía la canción. Efectivamente, viajar es un placer, siempre que se haga voluntariamente, claro. Sea por una u otra razón, a menudo nos tenemos que poner en marcha, y dedicar un tiempo extra a preparar la vestimenta que vamos a llevar. Habrá que arreglar la maleta con antelación, teniendo en cuenta el **por qué, dónde, cuándo, y cómo,** del viaje.

- *Por qué:* por trabajo, por obligación o por placer, básicamente. Si es un viaje de trabajo, la ropa ha de ser cómoda, sobria, elegante y que **no se arrugue.** Ten en cuenta si el trabajo implica cenas o fiestas nocturnas, y llevar vestidos para la ocasión.

- *Dónde:* aquí está el quid de la cuestión. Infórmate bien del lugar al que vas, y de sus costumbres (a veces la cultura de los países nos pone en un aprieto a las mujeres, p.ej. en los musulmanes fundamentalistas), si es campo, playa o ciudad. En cualquier caso, en el "fondo de maleta" mete un par de jeans cómodos y sus correspondientes camisetas, un vestido suelto, un foulard amplio y calcetines y zapatos cómodos para andar.

- **Cuándo:** en que estación del año está y si coincide con alguna celebración en el sitio al que vayas; y en qué momento estás tú. Recuerda que cuando hace frio en el hemisferio norte -Europa- , en el Sur -Argentina- hace calor, por ejemplo. Tu particular estado, también es importante para buscar la ropa; tenlo en cuenta al planificar; porque si por ejemplo, estás embarazada, tu contorno aumenta rápidamente y la ropa se ha de adaptar al momento del viaje y al tiempo que vas a permanecer.

- **Cómo:** sola o acompañada; con amigos, familia, compañeros de trabajo… no es lo mismo. A la hora de hacer tu maleta, tus intenciones cuentan. Quizás llevas la ilusión de "conquistar" en ese viaje; entonces no te olvides de un buen conjunto sexy.

- En avión, barco, coche, moto, pies y mochila… ten en cuenta un factor común: que los tejidos se arruguen lo menos posible.

- **La maleta.** Haz una lista con lo que necesitas, y ve tachando conforme lo vayas metiendo en tu maleta. Coloca la ropa encima de la cama y haz conjuntos de trajes, sus complementos y la ropa interior que necesita cada vestido; una vez que los tengas, los metes en la maleta; las prendas menos delicadas al fondo. Elige el resto de la ropa interior teniendo en cuenta los días que vas a estar. Los trajes de chaqueta, trench, abrigos, sombreros y ropa voluminosa, en su portaequipajes específico. Los zapatos y útiles de aseo, en bolsas.

- **"Fondo"** de maleta minimalista:

  - **2** mudas de ropa interior y calcetines. Camiseta y/o ropa de dormir.

  - **2** prendas combinables: camisetas básicas (maga corta y larga); jeans clásicos en azul y negro; jersey y cárdigan larga. Leggins (prendas que si cambia el tiempo se puedan superponer. Colores: blanco, negro y neutro).

– **1** vestido versátil, que nos valga para la noche.

– **2** foulards combinables.

– **1** chaqueta blazer o cuero y 1 trench, en caso de que haga frío.

– **1** par de zapatos de paseo y deportivas. Sandalias con buen clima.

Ten muy presente que los **"y si"** no deben de atraparte cuando termines tu maleta. "**Y si**" llueve, "**y si**" hace frío, "**y si**" se levanta un vendaval… nada, ten la mente fría y no metas más de lo necesario; de lo contrario, te encontrarás cargando todo el viaje con un montón de ropa innecesaria.

✔ *¡No intentes meter el armario entero en una maleta!*

Pues ya… a disfrutar y… ¡Buen viaje!

¡A trabajar…!

"El trabajo es salud", dicen. Realmente es saludable si lo que haces te satisface. Quizás no tengas exactamente el trabajo que quieres, quizás es sólo porque lo necesitas; pero en cualquier caso tu imagen ha de lucir estupenda y renovada cuando acudes al trabajo. Lo mejor para vencer al despertador es levantarse con la idea de ponernos un traje con el que nos comamos al mundo (sobre todo al mundo empresarial). No me digáis que no os sube la moral cuando algún compañero/a os da los buenos días con: "pero qué guapa vienes hoy, Mary". Hasta parece que vemos al jefe de mejor manera ese día.

La Entrevista es el primer contacto visual que vamos a tener con el trabajo, o su representante. Precisamente porque estáis cara a cara, la imagen es super-importante, y es bien cierto que "la primera impresión, es la que vale" y puede determinar el resto de la entrevista. ¿Cómo tenemos que vestirnos para ese momento? ¿Cuál es la imagen que queremos transmitir?

Actualmente la empresa valora en un alto porcentaje *cómo* es el trabajador, incluso por encima de *lo que sabe* el trabajador. **El entrevistador decide cómo eres en la primera entrevista,** y el vestido, que es tu tarjeta de presentación, que habla por ti, puede hacer que triunfes o que fracases.

Fundamentalmente, nuestra imagen ha de transmitir seguridad y profesionalidad. Pero el encanto no está reñido con estas dos cualidades; éste siempre debe de estar presente en tu imagen. Ya sabes por los capítulos anteriores sobre la imagen, qué es lo que mejor te sienta; utiliza tu atractivo, siempre discretamente.

Recomendamos, en líneas generales, lo más conveniente. El vestido es tu aliado ¡Suerte!

1. *Infórmate* de la cultura empresarial y al puesto al que optas, y vístete acorde con lo que lleven, ya sea muy tradicional o muy vanguardista. **Aunque no te guste su estilo,** póntelo. Recuerda que tu primer objetivo es trabajar.

2. *La higiene* es fundamental. Desde el cabello hasta los zapatos, tu aspecto ha de ser limpio. Maquillaje muy natural. No te presentes con la ropa sudada ni arrugada.

3. *Nada de* ropa corta, muy ajustada, tirantes, ni mostrar mucha piel. **No gafas oscuras.**

4. *El traje* o el *dos piezas* siempre es válido, con una bonita camisa.

5. *Colores:* los que mejor te sienten, dentro de la gama de los neutros o discretos, aunque sean oscuros. El blanco para prendas bajo chaqueta. No los brillantes ni estridentes.

6. *Complementos:* bolso tamaño medio; tacón no muy alto; foulard, pañuelos, bufandas y algún detalle pueden ser con

tonos alegres, que incitan a conversar. Joyas discretas que den luz a tu piel.

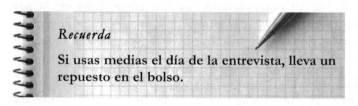

Recuerda

Si usas medias el día de la entrevista, lleva un repuesto en el bolso.

En el trabajo

La ropa de trabajo la utilizamos a diario. Seguro que antes de dormir piensas en lo que vas a ponerte al día siguiente, y hasta lo preparas; o bien si eres de esas a las que les es imposible prever con antelación el modelo, por la mañana rebuscas en el armario el conjunto del día, hasta encontrarlo a tu gusto.

Hay quien se libra de esto; por ejemplo los que utilizan uniforme y algunos otros trabajos, pero seguro que no es tan divertido como cambiar cada día de traje.

Para cualquier trabajo, la indumentaria tiene que ser básicamente:

1.- <u>Funcional</u>: es decir, que sea práctica para la función que se requiere. Sería un error colocar unos guantes de carnicero a una secretaria ejecutiva ¿verdad? No podría ni pillar un folio.

Práctica en complementos y ropa cómoda; que permitan bien los movimientos; transpirables; adecuadas al clima del centro de trabajo (cuidado con esos aires acondicionados que no hay manera de regular bien); ni muy sexy, ni transparente, ni hechuras que en un momento dado nos dejen en un aprieto enseñando lo que no queremos enseñar, y de tejidos y materiales resistentes para ir en transporte y aguantar la temporada.

2.- <u>Actual:</u> hay que estar al día, sin ser una "fashion victim". Una ropa actual aporta dinamismo y juventud a tu imagen, lo cual te beneficia. Si tu indumentaria está pasada, tu imagen se verá más antigua y estancada.

Dependiendo de tu cargo y/o ambiente del puesto de trabajo, tu imagen tendrá que ser más o menos formal. Las formas y los colores del traje te ayudan a conseguir la imagen que quieras:

Formal o seria   Informal

MUY FORMAL O SERIA	INFORMAL
• Colores: neutros, frios, oscuros y negro.	• Todos los colores. No muy brillantes.
• Abrigos y chaquetas rectos; estructurados.	• Abrigos actuales; trench; ponchos; acolchados.
• Trajes sastre, blazer y dos piezas, línea clásica y recta.	• Chaquetas y dos piezas, líneas diversas de moda.
• Faldas rectas. Plisado fino. Cortes rectos. Godets.	• Faldas cortas o largas. Todo tipo de diseños.
• Vestidos sobrios; líneas clásicas despegadas del cuerpo.	• Vestidos talle alto, bajo, airosos, rectos con cortes.
• Pantalones rectos con caída.	• Jeans y pantalones de todo tipo, bien combinados.
• Camiseras y blusas entalladas o semientalladas.	• Camiseras. Blusas airosas lisas y estampadas.
• Tejidos de calidad: lana; seda; finos algodones; Estampados y dibujos pequeños, discretos.	• Tejidos naturales y técnicos actuales. Estampados alegres (no estrafalarios). Cuadros, rayitas, dibujos.
• Zapatos de calidad. Clásicos o a la moda. Elegantes.	• Zapatos que armonicen o contrasten con el traje.
• Sólo deportivas de calidad, para algún evento deportivo.	• Actuales y de diseño: Vintage, peep-toes, sandalias.
• Bolsos de piel o materiales de calidad. No bolsas ni mochilas.	• Bolsos de piel o sintéticos. Cómodos. Blandos. Colores.
• Joyas. Bisutería de diseño y calidad. Ambas discretas.	• Joyas y bisutería de diseño. A la moda. No exagerar.
• Pañuelos de seda, cortos y largos; foulards largos.	• Foulards y bufandas de moda. Anudados con estilo.

✔ **Las gafas** *son un accesorio importante; tanto si las llevas puestas como si las mueves en la mano durante una reunión de trabajo, son un punto de atención.*

Si utilizas gafas de ver, siempre han de ser modernas y de marcas de calidad. Si te puedes permitir tener más de una, hay monturas preciosas de distintos colores que combinarán con los colores de tus trajes. Para vestimentas más informales, las gafas con montura vanguardista darán un toque muy personal a tu rostro.

Ejecutivas y altos cargos de responsabilidad:

Son las primeras representantes de la empresa; la imagen entonces tiene que ser perfecta: atractiva y de categoría; transmitir eficacia, seriedad y confianza, tres cualidades que se le piden a una buena firma. Para ello la vestimenta **siempre de calidad**. Los **complementos de marca** son imprescindibles. Poner especial cuidado en la elección de zapatos, bolsos y gafas. Y el móvil, de última generación. Los trajes estructurados, de hombros rectos, y los sastre encima de una camisa suave con un toque de feminidad, no fallan.

Por último, unos consejillos que te ayudarán a progresar en tu día a día:

- **Vístete siempre de acuerdo al cargo que ocupas.** Ni pobremente, que parezca que pasas de todo y no tengas gusto ni aspiraciones, ni, por supuesto, que brilles por encima de tu jefa/s. Eso no te lo perdonarán nunca.

- **Presentar una buena imagen forma parte de nuestro trabajo.** Que la rutina y el cansancio no te venzan, y sal siempre limpia, peinada, planchada, calzada y arreglada, como el primer día que entraste en tu empresa. Eso te lo valoran, estate segura.

- **Planifica la ropa que vas a necesitar** para cada temporada y ocasiones de trabajo especiales (cenas, viajes, celebraciones, etc.), así te será más fácil encontrar gangas, comprar ropa diversa y hacer interesantes y divertidas combinaciones de ropa y complementos.

- **Ten siempre a mano tu fondo de armario de trabajo,** con al menos tres conjuntos de ropa y complementos que puedas combinar. Las prendas interiores que no se marquen.

> ✔ *Cuidado con los elegantes pantalones de tela fina; marcan todos los "hoyitos" de la celulitis trasera.*

Pero no todo va a ser trabajo. Nuestros ratitos de ocio acompañado, que no nos los quiten. Así que:

¿Quedamos luego?

Esta frase quiere decir que estamos dispuestas a pasarnos un buen rato con los amigos, e incluso que tenemos algún interés en "tontear" un poquito con alguno especial. Y aquí estamos, revolviendo el armario, sacando prendas una tras otra ¿Qué me pongo? ¿Con qué estoy mejor? ¿Me coloco de negro misterioso ajustado, muy de "femme fatale" o le toco su lado tierno con algo ingenuo? Top, falda, pantalón, me lo ajusto, me lo suelto, lo subo, lo bajo, este no, este tampoco… ¡Ay, qué dilema!

Mientras más queremos agradar, más difícil nos resulta la elección.

Pues ahí va una regla imprescindible: **resalta** la parte más bonita de tu cuerpo y **disimula** la que menos te guste. Ya sabes cómo hacerlo, si has leído con atención las páginas anteriores.

El resultar **sexy** es el principal objetivo a conseguir. La seducción no implica "enseñar" todo lo que se pueda; está confirmado que unas formas insinuadas provocan más interés que las totalmente descubiertas. Esto juega a nuestro favor siempre, porque así podemos componer la silueta poniendo aquí y quitando de allí.

El pecho, las nalgas y las piernas son elementos femeninos muy sensuales.

El pecho es fácil lucirlo, aunque sea pequeño; para aumentar una talla o más existen sujetadores de relleno y gel, tipo *Aumentax,* y los *push-up* que corrigen el pecho caído. Los escotes grandes no son convenientes; son mejores los escotes que no bajen demasiado (justo a la línea donde se alza el busto), y los cerrados con aberturas estratégicas.

Si tienes un pecho generoso (no enorme) las **camisetas de tirantes** son perfectas para lucir un buen "canalillo", donde se irán las miradas.

Los **jeans** ajustados al trasero son un buen recurso. Además el tejido vaquero y los bolsillos ocultan la posible celulitis. Busca la marca que se adapte a tu tipo de trasero (tipo manzana, pera, respingón, caído, plano, etc.), para cada clase existe un pantalón que te favorece. Los Levi´s de toda la vida modelan muy bien las nalgas. Si necesitas subirlas, los pantalones *push-up* y los *salsa jeans* te dejarán las nalgas en su sitio y realzadas; ¡son un buen invento!

Las **faldas** en cambio, disimulan el trasero. Si no quieres que se fijen en él, ponte una falda.

Para las piernas una **minifalda** es lo ideal. No es indispensable tener unas piernas maravillosas; puedes llevar mini siempre que no sean gruesas, sobre todo las rodillas. Los demás defectillos de forma se corrigen con medias o pantys más o menos finos, lisos o con dibujo. Hay muchos modelos. No olvides que el color negro siempre te va a ir bien; excepto para las piernas demasiado delgadas.

Además de estos puntos clave, todo tu cuerpo tiene zonas erógenas que potencian tu atractivo y las fantasías de los que te miran: el cuello y los hombros desnudos; una espalda totalmente escotada o con un escote en U o V pronunciada; brazos torneados; manos finas y suaves… y los pies. Los olvidados pies tienen su erotismo. El atractivo y fetichismo de los pies es más común de lo que nos pensamos: al aire con unas sandalias, con altos tacones o con botas, rematarán nuestro sexi-vestido poderosamente.

La actitud. El más sugerente traje no hará mucho efecto si tu actitud no lo es. Has de tener la seguridad de que vas a triunfar siendo tu misma, natural y sugestiva; el traje realzará entonces todos tus encantos, envolviendo tus movimientos al caminar, al girarte, al mirar, al hablar, al sugerir… Al vestido hay que "moverlo" y lo mueve tu seguridad en que te gustas tú y gustas a los demás; aunque no está de más el observar actitudes que triunfaron; ya sabemos que observando se aprende.

Cameron Díaz en su primera escena de "La Máscara"; Megan Fox y sus jeans cortos, o la sensual naturalidad con que Julia Roberts "mueve" sus humildes trajes en la película Erin Brockovich (a pesar de ser una actriz que no posee curvas muy sensuales) son un buen ejemplo a seguir; sin pasarnos, claro está, no vayamos a sobreactuar y lo fastidiemos. La proporción entre naturalidad y sensualidad es el punto justo.

Y ya sólo nos queda un aseo perfecto, una piel cuidada y suave, un cabello sedoso (el largo nunca falla), una ropa interior linda y un perfume suave puesto en zonas cálidas del cuerpo: detrás de las orejas, sienes, detrás del cuello, muñecas, codos y pecho. Mírate, sonríe al espejo y ¡a triunfar!

Recuerda

No estropees tu atractivo con un perfume intenso y molesto.

¡Quiero epatar!

¿Ha llegado el momento en que quieres llamar la atención, aunque sea por un día o por unas horas? ¿Te apetece deslumbrar y salir de la rutina, de lo cómodo y *casual* de todos los días? Pues hay que ponerle imaginación a tu armario; *no hace falta que salgas a comprar nada.* Con lo que tienes de esta temporada y la anterior, vamos a "descoordinar" con estilo. Primero piensa que imagen quieres dar, tu pones los límites; pero éstos siempre tienen que estar en lo que te siente bien.

Nada de prendas aburridas. Busca en tu armario ropa y combinaciones del tipo:

combina lo que tengas en el armario

sorpréndete!

- *Prendas negras* y elásticas no pueden faltar. Combinan muy bien y favorecen.

- *Minifaldas vaqueras* con tops y leggins metálicos o medias de colores y dibujos con calcetines gorditos de vuelta (si tienes buenas piernas) y zapatillas en glitter de colores. Cinturones anchos.

- *Shorts* con medias de densidad asomando un gracioso ligero, con zapatos *vintage*.

- *Pantalones* largos con transparencias y tacones plataforma o zapatos cuña color y estampados.

- *Bailarinas* de fantasía, colores intensos y metálicos. Bootis.

- *Tops* y camisetas superpuestas; contrastes de color y de tejidos (más gruesos con muy finos).

- *Corpiños* superpuestos a camisetas o camisas, ajustadas u holgadas. Cuero, seda, algodón.

- *Cueros* ajustados arriba y/o abajo, combinados con camisetas de tirantes, tops palabra de honor, sedas en pantalones y camisas y complementos rockeros.

- *Corpiño metálico*, brillante o deportivo bajo chándal y deportivas glitter o lentejuelas.

- *Camisas* transparentes sobre sujetadores de fantasía. Cinturón ancho caído o apretado a la cintura. Leggins o pantys. Mini de stretch o cuadros colegiala y botas altas.

Los complementos los puedes buscar tanto antiguos como de vanguardia, y combinarlos. Anillos de mucha fantasía, pulseras y detalles; incluso alguna gorrita, sombrero o boina graciosa.

Maquillaje atrevido, sobre todo en los ojos. Mucha pestaña espesa que sombree la mirada.

Somos maduras ¡Cuánta belleza acumulada!

"Cumplí 50 años, me miré al espejo y, al contrario de lo que me temía, de pronto me encontré madura e interesante, con la expresión serena de la experiencia y el mismo deseo de gustarme y gustar que cuando tenía... unos pocos años menos".

En pleno siglo XXI la mujer madura hoy día tiene libertad para ponerse lo que le venga en gana (y lo que le venga mejor, claro); camisas, pantalones, minis, camisetas, etc., de cualquier estilo de moda nos sientan bien. Por fortuna ya dejamos atrás la ropa de "mayor", y si bien es verdad que las líneas del cuerpo no son las de los 20 años, no es menos cierto que la experiencia -que dicen que es la madre de la ciencia- nos ha enseñado a aprovechar nuestros encantos al máximo, y con una vida sana, un poquito de ejercicio y el estilismo adecuado... ¡Vamos a estar estupendas de la vida!

¿Qué ropa me va mejor? ¿Puedo ponerme un short? Me gusta la ropa de la sección de "jóvenes", ¿parezco ridícula con ella?, ¿es lo clásico lo que mejor le queda a mi edad? Son dilemas que se nos plantean a menudo.

Se fiel a tu estilo. A estas alturas ya estará definido. Pero dentro de él, lo que te conviene es buscar formas y colores que no te añadan años. Porque, una cosa es estar contenta con ellos y otra muy distinta echártelos encima, ¿no te parece?

En primer lugar, hay que tener claro que parecerás más mayor tanto si te vistes "de rancia" (antigualla) como si te pones look quinceañero, con ropa muy ceñida y corta o enseñando ombligo, escotazo y formas que, por muy bien que estés, ponen de manifiesto que no tienes la tersura de la juventud. A la cabeza se vienen ejemplos de famosas que no asumen el paso de los años y da pena verlas, queriendo a toda costa parecer jóvenes, a fuerza de calzarse ropa que le quedaría ideal a sus nietas. No caigamos en eso; es como si la nieta se viste de "abuelita Paz", ¿ridícula, verdad?

Aunque seamos abuelas de verdad, **nunca** el look "abuelita" para ninguna edad.

Ropa para estar estupendas

En general, prendas que no se ajusten o semientalladas. El largo de las de arriba que sobrepase la cintura. Las faldas, cortas sí, pero no muy cortas. Pantalones de tiro medio o alto, y rectos.

- *Camisetas básicas* con manga; corta, media o larga. Colores: siempre tener negro, blanco y el beige de moda; y además todos los que le sienten bien a tu figura.

- *Jeans rectos* que se ajusten bien a las nalgas y no parezca el trasero caído o carpeta. Inaceptable que nos hagan arrugas en el trasero; busca un modelo que te lo levante y respingue un poquito; la curvita de la entrepierna ha de quedar sin arrugas.

Los *pitillo* te quedarán ideales si tienes las piernas delgadas.

- *Vestidos* de toda hechura, acordes con tu tipo de figura, (pags. 70 a 80) excepto los muy ajustados. Aunque estés muy delgada, no te ciñas mucho el cuerpo. Los ajustados a la cintura con falda airosa quedan estupendos; si tu cintura no está muy definida, ponte un cinturón ancho y flexible.

- *Chaquetas* semientalladas, o entalladas si estás delgada, de corte femenino o masculino, encima de una camiseta y combinadas con jeans. Botas o botines de moda. Esta mezcla no falla para rejuvenecer nuestra imagen. Chaquetas de punto ligero, y largas. Ponchos.

- *Los jerséis* y puntos por lo general quedan mejor si eliges una talla mayor que la tuya; tienen mejor caída y no ponen de manifiesto los rollitos de la cintura ni los pliegues bajo la axila que se forman con el sujetador. Nunca metidos dentro de pantalones o faldas, a no ser que estés súper delgada.

- *Camisas* ingenuas y románticas, de texturas delicadas; aunque tu estilo sea todo lo contrario al romántico, combínalo con estas camisas o blusas, que te aportan un aspecto más juvenil. Además suelen ser de tejidos que no se ciñen al cuerpo, por lo que son muy cómodas de usar.

Camisas deportivas y tipo jeans. Con cuadros coloristas y no muy grandes, estupendas.

- *Faldas* rectas, airosas, con salidas; largas o cortas (éstas no más de 15 cm. por encima de la rodilla). No a las minis elásticas.

- *Transparencias* oscuras y estampadas sobre tops y vestidos. Drapeados diagonales.

- *Ropa de abrigo* en tejidos técnicos, que pesen poco y con colores actuales. Son juveniles, favorecedoras y prácticas.

- *Los tejidos* fluidos y con caída. *Los colores*, todos. Estampados alegres, pero no muy grandes.

- *Zapatos* cómodos pero a la moda. Las botas *fashion* siempre quedan bien. Bailarinas de fantasía rejuvenecerán tu imagen en cualquier ocasión.

- *Complementos y accesorios* que den un toque de luz a tu rostro y color a tu atuendo. Los plateados en joyería y bisutería son más juveniles que los dorados. Las combinaciones clásicas de ropa en tonos neutros, blanco y negro quedan perfectas con accesorios modernos, de materiales actuales y colores alegres.

Algunas combinaciones fáciles

Seguro que en el armario tenemos estas prendas. Vamos a combinarlas, sin tener gasto extra:

- Camiseta de color vivo, negra, blanca o estampada; chaqueta blazer, jeans, botas y bolso bandolera. Colgante actual al cuello.

- Chaqueta corte femenino semientallada o entallada color liso, falda estampada en tonos del momento conjuntados con la chaqueta. Zapatos tacón, botas altas. Bolso actual.

- Traje sastre con camisa blanca y accesorios muy actuales (collares largos, cinturones, detalles sobre la chaqueta): étnicos, vintage, hippie, etc. Bisutería a la última.

- Camiseta estampada actual (de las tiendas de jóvenes), pantalón ancho ligero, cinturón caído. Zapato bajo abierto de fantasía (dorados, flores, lentejuelas, etc.).

- Camiseta marinera de rayas (marino, fucsia, rojo, azulón, turquesa), pantalón pirata o flojo. Zapato deportivo.

- Vestido sobrio de un solo tono, combinado con cinturón a la moda - en la cintura o bajo -, detalle en la parte superior de tela u otro material de colores vivos (flor u otro objeto); zapatos y bolso de fantasía. Ponte una chaqueta encima, de color básico que armonice con el tono del vestido, y un foulard alegre, estampado.

- Camisa larga, leggins negros, cinturón bajo, zapato bajo deportivo o de fantasía, bolso bandolera. Collar o colgante largo.

Lo que no te debes poner:

- **Bragas y sujetadores** que se te claven y se marquen bajo la ropa. Esto es un horror. El mejor traje pierde su glamour con un "cachete" dividido en dos partes por una braga apretada; si además el pantalón es fino y se marca la celulitis de las nalgas, el desastre está servido. No te olvides que con la edad la carne no está tan firme y se marca enseguida.

- **Tops** muy cortos.

- **Minifaldas** elásticas.

- **Costados** al aire.

- **Tirantes y sisas** si tus brazos no están firmes. La parte interna de los brazos delata la edad antes de que nos llegue (vamos, a traición). Para aguantar bien un tirante hay que hacer pesas y ejercicio.

- **Bolsos, zapatos y cinturón** del mismo color.

- **Leggins** con calcetines debajo que te aprieten y se marquen en la pierna.

Ya ves el abanico tan inmenso que te ofrece la moda para estar atractiva. Así que destierra lo aburrido y pacato de tu armario, y sal a la calle más joven que ayer. Y si aun tienes dudas, echa un vistazo a las edades de Carmen dell'Orefice, llamada "la más bella del mundo". Ella, a sus 80 años luce como nadie tanto juveniles camisetas de diseño como sofisticados trajes de fiesta, siendo un ejemplo de elegancia y frescura en las pasarelas de moda.

¿Cómo te vistes? "Pues como quiero…"

Esta fue la respuesta mayoritaria en una encuesta realizada a adolescentes, en la que se les preguntaba sobre su modo de vestir. Sencilla y concreta. Es envidiable como con tres palabras se puede resumir toda una actitud, social y estética.

Los más jóvenes -como hacemos todos- también buscan independencia y "que les dejen en paz" en el tema de la indumentaria: "sentirse libres" para ponerse lo que quieran. Seguir la moda o enfundarse en el estilo con el que más se sientan identificados, es opción de cada uno, y hay que respetarla.

Decir desde estas páginas que es lo que se tiene que poner un adolescente o un joven, sería meternos en un jardín… que sinceramente pienso no iba a servir de mucho, pues cada chica o chico tiene muy claro como le gusta vestirse. Pero sí que existe una moda preciosa, variada, desenfadada, seductora y muy útil para cada estilo y cada silueta.

Para los adolescentes la apariencia corporal es muy importante, y la diversidad de siluetas es mucha -bajitas, larguiluchas, pechito plano, muy redondas, poco talle, etc.-, aunque hay un denominador común, muy apreciado, que no tienen los adultos: la tersura y elasticidad de sus cuerpos. Esta cualidad hace que se puedan colocar de todo: tirantes, minis, tops, etc.

Si, queridas chicas que estáis un poco pasadas de peso; vuestras formas, por orondas que sean, pueden lucir cualquier tipo de ropa, y además, ¡os atrevéis con todo! Y lo lleváis con mucho estilo.

Aun y así, siempre hay prendas que sientan mejor que otras, dependiendo de vuestras formas dominantes, que están explicadas en las págs. 70 a 80. Si no estáis muy conformes con vuestro perfil, tened en cuenta que tenéis otra ventaja añadida, y es que vuestros cuerpos ahora están en constante y rápida evolución, y si hoy piensas que eres un "patito feo", mañana serás una preciosa criatura.

Esto en el momento de salir no sirve de mucho consuelo, porque lo que nos importa es que ¡hoy hemos quedado y no tenemos nada que ponernos!

Si lo tuyo es llevar un estilo urbano y casual hay cantidad de tiendas de ropa joven en todas partes del mundo; la cosa se complica cuando nos ponemos imaginativas o cuando tenemos un estilo muy definido que se sale de lo común.

Para ir de normal y cómoda, camiseta o camisetas superpuestas (T-shirt, tirantes, ceñida, caída, escotada, etc.), vaquero y deportivas o botas, bastarán para estar súper bien. Todo actual, claro; nada de vaqueros clásicos. Pitillos o anchos, todo a la última; las modas son muy cambiantes, si esta temporada se lleva el tanga asomando por el pantalón, a la siguiente el tanga ha desaparecido y ya te llaman abuela si lo enseñas.

La moda es así. Si quieres tener un aire actual, machácate lo que llevan las "teen" famosas y tus tiendas preferidas de temporada, pero ¡cuidado!, siempre a tu estilo y sin caer en ser una *fas-*

hion victim ni una *wannabe*; la presión de las súper-modelos-súper-delgadas es tonta y peligrosa. Hay que tener claro que lo que vemos en las revistas tiene el fin de vender una imagen y no es real. El photoshop nos engaña constantemente arreglando las imágenes que vemos de las famosas. Y tú no eres un producto de consumo; tú quieres gustarte y gustar, y la clave del éxito está en ser tu misma, en ser auténtica en tu estilo e imagen, que es propio y personal. Y lo que es mejor, ¡estar cómoda! Entre cómoda y sexy, ése es el punto.

Para salir y estar en la calle, esta misma indumentaria vale. Algo cómodo, para sentarse en bancos, en el suelo, en la hierba, etc. Foulards o bufandas con gorro y guantes a juego, si hace frío, que luego nos quedamos "tiesas". Los mitones, aparte de ser chulísimos y sexys, te permiten atrapar vasos, etc, sin que se te escurran. Ya sabes aquello de "gato con guantes…"

¿Y para entrar al instituto, al colegio o a la academia?

El primer día todas y todos os echáis el primer vistazo; no hay que ponerse tímidas y vestirse para ser invisible, ni aparecer luciendo sujetador, o colgarse todo lo último que tengamos en el ropero. Vayamos poquito a poco, viendo al personal, y según veamos, actuamos. Unos vaqueros de moda -desgastados quedan bien-, camiseta, camisa caída o sudadera -dependiendo del clima-, tenis o bailarinas, tu bolsa o mochila, tu peinado que mejor te sienta, y pendientes, pulseras y demás; éstos que no falten y que sean de lo más *cool*.

Si te maquillas, no te pases; aunque te guste la imagen de sofisticada y mujer fatal, córtate al principio, porque parecerás mayor, y eso te puede complicar la vida. Una raya natural, rimmel, gloss, un poquito de color ¡y suerte!

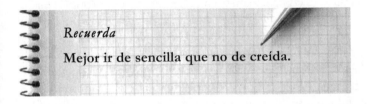

Recuerda

Mejor ir de sencilla que no de creída.

Para ir de fiesta o *de marcha*, tú eres la reina de la fantasía. Vas a gustar y alucinar a todos, o simplemente a quien te interesa... Según sea tu estilo, te puedes poner monísima por poco dinero.

Prendas que nunca te fallan: vestidos cortos de lycra; vestidos de cuerpo brillante y falda de tul varias capas (ideal); vestidos *baby doll*; vestidos con aberturas; transparencias; shorts cortos, *jumpsuits de lujo*; vaqueros ajustados en tonos claros/oscuros y parches de fantasía combinados con tops; *strapless* y vestidos palabra de honor con cazadoras ajustadas o parkas encima (pueden ser metalizadas, de cuero o sintéticas).

Complementos: botas y botines de todo tipo, sandalias y zapatos de plataforma, bailarinas, bebés, deportivas, converse, tenis, etc., todo en cuero, tela, tejidos técnicos, glitters y lentejuelas.

Cinturones muy anchos o muy finos; cadenas.

Pendientes, detalles coloristas sobre el vestido, chaqueta, jersey o pantalón; abalorios.

Las abuelas son unas aliadas muy valiosas para echarte una mano y darle un toque "vintage" y original a tu vestido. Revuelve su baúl de recuerdos y verás cómo encuentras prendas y accesorios que ahora son muy valorados y están de moda.

Las madres... oye, ¡nunca dejes que tu madre te vista! (bien, mamás, no me torzáis el gesto al leerlo, yo también soy madre).

El no vestirla no quiere decir que no seáis buenas compañeras de trapitos; ya comentábamos en el capítulo anterior sobre la madurez, que la ropa juvenil, sin pasarse, nos favorece a todas. Lo ideal es poder ir juntas de compras y encontrar cosas para las dos en la misma tienda. A menudo lo que suele suceder es que a la indicación materna de ¡ay, mira, nena, que ideal para ti! nuestra nena mire con desdén la prenda y pase a otra cosa, y a otra tienda, donde tengan ropa que realmente le gusta, y que es la "suya".

Mi hija es muy rara vistiendo... ¡no la entiendo!

Este dilema se nos ha presentado en alguna ocasión a la mayoría de las madres con nuestras hijas.

"...De pequeña era encantadora y cariñosa, pero de la noche a la mañana no hay quien la entienda, no hace caso a nada y todo le molesta; sólo quiere que la deje en paz y se viste todo lo mal que puede. ¡Cada vez que sale de casa con esas pintas, me muero!."

Esto lo podría decir cualquier madre. Y es que nuestra hija ha llegado a la adolescencia, que es la etapa más cambiante en este cambiante mundo. Los cuerpos de las adolescentes se transforman rápidamente, en pocos meses; en muy poco tiempo las chicas se tienen que acostumbrar a su nueva apariencia, ponerse al día en los estereotipos de belleza de la sociedad, y adoptar una identidad propia. ¡Uuufff, vaya lío!

La toma de decisiones en cuanto a elegir un traje u otro llega muy temprano, a veces desde la más tierna infancia; es bastante normal que "nuestra niña" con sólo 12 años imponga sus gustos cuando vamos de tiendas, y suele haber discusión: ¿eso te vas a poner?, ¡pero si parece que tienes 25 años! Eso no es para niñas… y finalmente: ¡ese ni hablar!

¿Y cuando sale para la escuela, maquillada como una puerta, enseñando aquí y allá, o de negro riguroso, o llena de piercings? ¡Discusión a primera hora de la mañana!… bueno, no perdamos los nervios… es ella la que va dentro de eso, no nosotras; es ella la que se va a poner delante de su grupo de iguales. Observemos como van las demás y con quien anda, y procuremos ser objetivas a la hora de juzgar, aunque nos cueste, porque nos gustaría ver otra actitud en ella.

Hay que saber que ni física ni mentalmente las adolescentes de hoy son iguales que las de principios del siglo XX; los avances científicos y sociales han influido en ellas, y "avance" significa progreso, nunca estancamiento; ellas nunca van a ser como nosotras, o como sus abuelas.

Las tendencias de las famosas *teen* del momento también influyen y mucho en la vestimenta de las niñas; imitan su vestuario, su look, sus gestos y en ocasiones su manera de vivir la vida.

Tranquilas, lo bueno de las modas es que pasan pronto…

¿Sabías que… en el siglo XIX, la edad media de la primera menstruación estaba en los 16 años y actualmente está en los 11?

Podemos aconsejarla e incluso invertir tiempo en probar maquillajes con ella, que le queden "mejor", ropa que le haga sentirse bien, más "normalita". Pero que nos escuche no se logra en un día, ni en varios enfados. Es fundamental que la niña no pierda la confianza en nosotras, si la pierde, la depositará en otros, y eso no es nada bueno. La solución pasa por una combinación de **observación + "buen rollo" + paciencia**.

Despreciar sus gustos la reafirmará más aún y la unirá más a su grupo. Porque parece que ellas lo tienen muy claro; y debemos dejar que adopten su identidad, aunque se nos pongan los pelos "como escarpias". El vestido está expresando sus emociones, su autoestima, sus referencias ¿Cuándo si no, van a atreverse a llevar esa ropa, experimentar, probar, elegir, equivocarse o acertar, sin mayor perjuicio? Es su momento. Nosotras tuvimos el nuestro ¿o no? Claro que sí. Y seguramente no hubo mayor problema.

Detrás del espejo: los iconos de la moda

"Tiene sólo 14 años y sus looks deslumbran en todo el mundo…" Así hablaban de Chloë Moretz, una joven actriz del momento, imitada por muchas chicas. Kota Koti, que despunta como una *cosplayer,* a la que llaman la Barbie de carne y hueso, se asoma a las redes sociales con casi 500.000 visitantes. Cantantes, actores y sus retoños, grupos musicales, presentadores de TV (y hasta colaboradoras), políticos, etc., se pueden convertir en el modelo a seguir del momento. Los jóvenes son sus principales seguidores, convirtiéndose en fáciles *fashion victims.* Y no nos engañemos, los mayores a menudo, también caemos en la imitación del famoso que nos gusta; esto es normal, porque las famosas son guapas y las visten los mejores diseñadores ¿Cómo no vamos a desear poder lucir esos trapitos?

La TV, los paparazzis, los medios de comunicación en general nos tienen al día de los trajes de los famosos, y no sólo eso, también de sus bodas, divorcios, alegrías y penas en puro directo, lo que nos coloca "detrás del espejo", en un mundo virtual que forma parte de nuestra vida, pero que no nos pertenece.

Estos divinos y divinas van vestidos por los mejores diseñadores del momento y están aconsejados por los mejores asesores de imagen, para resultar estilosos y estupendos en todas las circunstancias.

En la realidad no tenemos nada que ver con ellos, salvo que el glamour que derrochan nos entretiene y que podemos sacar ideas para vestirnos. No caigamos en querer imitar además de sus trajes su estilo de vida, vivido al límite muchas veces. En las listas de las más estilosas se encuentran personajes dependientes de adicciones varias, anoréxicos, cirugías, etc., modelos que no se deben de imitar. Los jóvenes han de tener esto claro.

Las redes sociales juveniles se llenan de incondicionales seguidores del famoso del momento, no importa cual sea; los adoran a ellos y a todo lo que tenga que ver con ellos; la hermana pequeña del icono adolescente Justin Bieber, ya contaba con miles de seguidores con sólo tres años, sin ser personaje público... identificarse con un personaje e idolatrarlo es normal en la adolescencia, es intenso y divertido, y no suele pasar de ser una etapa corta, ni presentar ninguna complicación.

Anorexia y bulimia

Lo que puede representar un problema, y grave, es el valor que se le da en nuestra sociedad a la delgadez como estereotipo de belleza, de éxito, de felicidad.

Nuestras niñas buscan su propio triunfo personal imitando a las modelos y a las famosas, algunas anoréxicas. También los chicos. En el colegio, entre los amigos, en la TV, en todos los ámbitos, hay una cultura que valora lo físico antes que lo espiritual. No es extraño que la obsesión por los kilos de más y tener un cuerpo "10" provoque trastornos emocionales y físicos en adolescentes, como anorexia y bulimia.

Las chicas con baja autoestima son las principales víctimas de estas enfermedades mentales, aunque hay otros factores que influyen en este problema. "Hay que estar delgada para que los demás te valoren". La chica poco a poco se va auto convenciendo de que es una fracasada en su grupo, por culpa de su imagen. Aborrecen la comida, no comen o vomitan lo ingerido, percibiendo su imagen distorsionada y "gorda". Es realmente penoso como la enfermedad puede con ellas, en casos muy graves, con resultado de muerte. Estemos atentas al menor indicio de estos trastornos.

Una dieta saludable y un ambiente sano en el ámbito familiar, en el que queramos a nuestras hijas tal y como son, animándolas a aceptar su imagen, valorando lo que tienen y alentándolas a ser ellas mismas, con alegría de vivir, es la mejor prevención. Y un buen conjunto que la favorezca, queridas, que eso le sube la autoestima a la más parada.

¿Y si quiere ser modelo?

Es bastante común entre las chicas adolescentes que tienen un buen físico querer mostrarlo. Envolverse en preciosos modelos, peinarse de mil maneras, maquillarse y ser la reina de la pasarela; ser admirada y deseada, soñando en vivir dentro del glamuroso mundo que se nos ofrece cada día en los medios de comunicación.

Muchos nombres de "divinas" modelos, encabezan una lista de ídolos que hacen historia, por su belleza, su talento y su cotización multimillonaria. ¿No es atractivo este mundo? Si, es muy atractivo, sobre todo si se tienen pocos años y muchas ilusiones. Entendamos estas ilusiones, porque puede que sea realmente su vocación; y si es algo pasajero, se descubrirá en poco tiempo.

En el trabajo de modelo como en todos, si se quiere destacar, se requiere mucho esfuerzo y dedicación de la chica que quiere triunfar, y de su familia mientras no sea mayor de edad. Las chicas acceden muy jóvenes al mundo de la publicidad y la pasarela, (cerca de la mitad están entre los 13 y los 16 años) y hay que proteger a estas menores de posibles abusos que se pueden cometer, desde económicos a personales.

Puede ocurrir que las jóvenes no cobren y trabajen gratis o a cambio de ropa, que trabajen sin seguro médico, que se les presione para llevar una alimentación poco saludable y que se vulnere su intimidad, entre otros aspectos que pueden llegar a ser muy graves. El trabajo obliga en ocasiones a estar lejos de la familia y de ninguna manera se las debe dejar solas.

Los padres han de tener los pies en la tierra y no dejarse llevar por fantasías (a veces los sueños y el empeño de los padres consienten trabajos impropios para niñas muy jóvenes), ni hipotecar sus años de niñez y adolescencia. La vida de las supermodelos no representa la realidad de la mayoría de sus compañeras.

Fundamental: **que acabe sus estudios**. Su formación le ayudará para enfrentarse al trabajo y sus problemas, y además, tendrá tiempo de madurar la idea mientras saca los estudios, que podrá compaginar con su formación de modelo en alguna academia. Busca una escuela de modelos de buena reputación, no te conformes con cualquiera, para que se forme bien en la profesión. Para trabajar en pasarela de moda se pide básicamente altura, buen físico y medidas proporcionadas. Gracia, soltura, naturalidad, elegancia y demás se pueden adquirir. Para publicidad se necesita un rostro expresivo y con encanto.

Si tu hija reúne condiciones estéticas y está muy ilusionada, no la desanimes; explícale lo que tiene que hacer, y que se lo tome con calma (difícil, porque es joven): lo normal es hacer un *book* y presentarlo en una agencia de modas o publicidad; también puede hacer un casting para algún anuncio o actividad; el ser "descubierta" por la calle o en un pub, como Claudia Schiffer, ya es como de cuento de hadas.

Nuestras chicas adoptarán alguno de los estilos del momento: romántico, deportivo, normal, bacala, rockero, punk, cholo, grunge, gótico, choni, hippie, pijo, metalero, etc. Cualquiera de ellos está en la calle, y tienen su propia estética, aunque puede cambiar el nombre dependiendo del país. Estas últimas décadas pasarán a la historia como las de mayor diversidad de looks urbanos.

¿Qué es la moda urbana?

El término *moda urbana* aún no tiene un significado concreto; la mayoría estamos de acuerdo en que es una moda basada en los jóvenes, pero que no es todo lo que se lleva por la calle. Lo urbano en la indumentaria simboliza de alguna manera el pensamiento contracultural de muchos jóvenes que habitan en las urbes de todo el mundo.

La música, básicamente, la actividad artística y algún determinado deporte (p.ej: el skate) influyen desde el movimiento *punk* de los 80 en la *moda urbana*. A partir de esta fecha entra en escena una nueva estética rompedora, que rechaza las modas, practica el *"do it yourself"* (hazlo tú mismo) y pretende expresar el descontento de la juventud con los sistemas establecidos.

En un principio la indumentaria de estos jóvenes se componía a base de mezclas de prendas baratas y "decoradas" por ellos mismos, siguiendo con la consigna de la prenda propia y personalizada. Hoy día la moda urbana tiene tal expansión mundial que ha perdido parte de su autenticidad, acercándose a la moda convencional, y generando una industria de confección multimillonaria, con empresas multinacionales punteras en el mercado, como Nike.

Aun y así, la naturaleza rebelde de los jóvenes y el ideal de "identidad propia" perduran en algunos grupos de moda urbana, conservando su estética primitiva, como los *punks*; otros han surgido o se han reinventado, conformando un panorama muy interesante, que matiza nuestras ciudades de una estética diversa, atractiva y colorista, diseminada por un cada vez mayor número de agrupaciones, muchas de ellas convertidas en...

¿Qué son las tribus urbanas? ¿Por qué los jóvenes quieren pertenecer a un grupo? ¿Son algo más que fachada o vestuario? ¿Qué imagen presentan? ¿Es lo mismo tribu que banda?, ¿y tú, de qué tribu eres?

A finales de los 50, los *Mods* (camisas Fred Perry, chaquetas italianas, corbatillas, minifaldas, scooters con un montón de espejos, música rhythm & blues, mucho consumo) hacen su aparición en las calles de Londres, enfrentándose con los *Rockers*, (cueros, jeans, camisetas, botas de puntera, motocicletas tuneadas, rock & roll); 30 años antes las *Flappers* (pelo corto, falda corta, transgresoras) habían escandalizado a la sociedad burguesa de principios del siglo XX con su comportamiento e indumentaria "descarada e irreverente"; y algo más de 100 años antes que ellas, los *Sans culotte*, con innovador traje revolucionario invaden París reivindicando justicia e igualdad.

La calle ha sido y es el escenario ideal para comunicar sentimientos, actitudes y manifestar ideas, reconocibles por el tipo de indumentaria. Las "tribus urbanas" nacen en las calles de las grandes ciudades en el último tercio del siglo XX como grupos contraculturales minoritarios, unidos cada uno por una misma identidad.

Es bastante normal asociar el nombre de tribu urbana con jóvenes en contra del sistema establecido, marginalidad y comportamiento antisocial; esto era más cierto en sus orígenes.

Hoy día las motivaciones de cada tribu son diversas, desde seguir a un determinado tipo y grupo de música hasta las más violentas actitudes por distintos motivos e intereses. Las hay de todo tipo y color, y cada cual presume de ser diferente de las otras, de ahí el distinto vestuario. Insignias, símbolos, tatuajes, vestimenta, forman las particulares formas de vestir de cada tribu.

¿Sería posible que un "punk" se pusiera un gorro de Burberrys? Seguro que no; nada más colocárselo se le pondrían "los pelos de punta" (perdonadme el chiste fácil), ¿os imagináis a una *gótica* o *dark* con una faldita campesina de flores tipo Kelly Family? Pues tampoco. La estética es fundamental para identificarse.

Sí que existen unas características comunes en todas:

- Juventud.

- Estructura propia.

- Estilo musical determinado.

- Misma visión de la sociedad.

- Indumentaria parecida.

- Ideales comunes.

Los jóvenes, pues, se agrupan con otros de ideas y aficiones similares El grupo refuerza su identidad y su independencia familiar.

¿Es lo mismo **tribu** que **banda?**

Bandas juveniles

Aunque la forma de agrupamiento sea similar, no debemos confundir las tribus urbanas con las *bandas juveniles, pandi-*

llas o maras. Éstas son grupos de jóvenes (a veces dirigidos por adultos) con una filosofía común y comportamientos muchas veces violentos; controlan un territorio y fácilmente llegan a la pelea y al delito, de lo que presumen a menudo grabando sus acciones y colgándolas en Internet.

Son producto de la marginación, la falta de normas y valores, la soledad (muchos "niños de la llave", la de su casa vacía, pues los padres no están), la desestructura y dejación de responsabilidades dentro del entorno familiar, la falta de expectativas en una sociedad que constantemente incita a consumir, y la rebeldía contra el sistema. También existen bandas cuyos componentes tienen un poder adquisitivo alto, que no viven en zonas marginales, y que son igualmente violentas y delincuentes; rivales incondicionales de las otras.

Los chavales son acogidos en la banda como en una "familia". Dentro de ella los chicos y chicas tienen la sensación de no estar solos, de ser fuertes y estar protegidos; la banda es jerárquica y acostumbra a ser sexista, diferenciando los actos de la chicas y de los chicos; los novatos suelen tener que hacer un rito de iniciación violento (sufrir agresiones o agredir ellos a otros) y las chicas, además de eso, en muchos casos, deben de mantener relaciones sexuales con miembros del grupo, o con el líder, para pertenecer de pleno derecho a la banda; luego pueden ascender si cumplen con lo que se les ordena; a cambio les ofrecen seguridad, "afecto" y dinero.

Cuando he entrevistado a adolescentes pandilleros, todos afirmaban: "el grupo es mi familia", "ellos me cuidan, me defienden y me dan lo que necesito". El alto precio que hay que pagar, a veces la cárcel o la propia vida, es lo que su juventud no alcanza a ver; los hay que entran con sólo diez años de edad.

Existen en cualquier gran ciudad del mundo, algunas diseminadas como multinacionales. Actualmente las de origen latino están muy extendidas en América y en Europa: *dominicanos, mejicanos; latins; contrasistema; bloods,* etc. Unas se agrupan en razón de su cultura, otras son descritas como presuntas mafias: *japonesas, chinas, africanas, brasileñas,* las *maras de* USA y El Salvador, etc.

Existen también mitos referentes a algunas bandas y sus acciones, creándose leyendas urbanas de violencia que son difíciles de desmontar. Los grupos pueden evolucionar, tratando de integrarse en la sociedad, con interesantes proyectos culturales (p.ej: los *latin king* de Barcelona). La sociedad a su vez, ha de procurar la integración de estos jóvenes, que tienen mucho que ofrecer.

Más que un modo de vestir, es la simbología lo que identifica a estas bandas: pintadas callejeras, colores (a menudo nacionales), códigos de palabras, objetos y símbolos como estrellas, cruces, círculos, dedos, triángulos, etc.

Colores y símbolos de algunas bandas:

Latin King: negro y amarillo; su símbolo es una corona de cinco puntas.

Dominicanos: los Trinitarios de verde; su símbolo, tres dedos. Los D.D.P: el azul y rojo de la bandera.

Ñetas: colores azul, blanco y rojo de la bandera de Puerto Rico. Su símbolo es una Ñ y la corona de cuatro puntas.

Mara Salvatrucha: se tatúan su símbolo, el numero 13. Son grafiteros.

Bloods: visten de rojo; sus rivales los Crips, de azul.

Asian Boyz: Color azul. Camisetas azules. Gorra de béisbol americana.

No llevar los colores de la banda es considerado a menudo una falta de respeto para con el grupo y sus ideales.

La ropa utilizada es variada, pero hay algunas que suelen ser comunes:

- Camisetas amplias, T-shirt, tops y tirantes con sus respectivos colores propios y con dibujos y símbolos de grupos musicales, famosos, líderes de la banda o fotos de los propios miembros, y de equipos deportivos.

- Pantalones flojos caídos; pantalones de equipos deportivos; minis ajustadas en las chicas.

- Deportivas.

- Pañuelos de cuello con sus colores y sus símbolos.

- Collares con cuentas con los colores de la banda; Rosarios.

- Hebillas con símbolos e iniciales de la banda.

A pesar de que la ropa define bastante al grupo al que se pertenece, las prendas pueden cambiar o simplemente el chico o chica llevar algunas prendas como simpatizante.

Ser simpatizante ya representa un motivo de preocupación para las familias de los chavales que empiezan a imitar la estética de una banda. Los padres han de explicarles lo que significa llevar tal o cual ropa o símbolos, y los problemas que les pueden traer.

Escuchar música de los grupos urbanos más radicales, ver películas de pandilleros, estar mucho tiempo fuera de casa, admirar los hechos de las bandas y aprobar sus conductas delictivas, son signos de que el niño o la niña se siente atraído por ellas o ya está metido en una banda. Merece la pena dedicar tiempo y esfuerzo a que el chico o chica entienda las consecuencias de esto, y recupere la confianza en su verdadera familia. Mejor prevenir, porque una vez que están dentro, si la banda es violenta, la salida es difícil; sufren muchas amenazas, a ellos y a sus familias, extorsiones y daños físicos si deciden salir, y la mayoría no lo consiguen. Se pueden informar más detalladamente sobre las bandas callejeras en las instituciones de orden público de cada ciudad.

¿Y tú de qué tribu eres?

Hemos visto que no es lo mismo **banda** que **tribu**. En nuestra vida cotidiana en la calle, bien se nos podría encuadrar a cada uno en una tribu, por nuestra manera de vestir y actuar. Hay cientos de tribus, cada vez más numerosas y subdivididas: por gustos musicales, por barrios, por calles, por etnia, por equipos deportivos, por gustos, por inclinaciones artísticas, por inclinaciones políticas, pacifistas, menos pacifistas... una lista muy extensa.

En todas, la indumentaria juega un papel importante en la estética del grupo. A veces representa ideas muy comprometidas, denuncia social, etc., y otras veces es simplemente la copia del look del cantante famoso del momento. ¿Concuerdas con alguna? ¿Te gusta su look aunque no su comportamiento? ¿Te encantaría colocarte unas rastas o unos pinchos en un momento dado? En una encuesta actual hecha a adolescentes sobre tribus urbanas que más conocían y trataban en su vida diaria, la mayoría coincidían en las mismas. Veamos las de más renombre, y cómo se viste cada cual.

* **Punks:** empecemos por ésta, por lo que tiene de desafío de la moda o "antimoda". Nació allá por los 70, como movimiento juvenil de rebeldía contra el paro y el sistema; el grupo musical Sex Pistol, provocador y vestido con ropa escandalosa para el momento, fue su icono. La ideología y estética punk sigue reinventándose por décadas. Su imagen: inconformista. Ropa desgastada y decorada por ellos mismos, aunque el sistema fabrica moda de su estilo.

- Pantalones ajustados elásticos, rotos y personalizados. También de cuadros.

- Camisetas, manga o tirantes de color negro o vivos, con dibujos artesanales, agujeros personalizados o fotos impresas de sus grupos musicales favoritos.

- Cazadoras vaqueras o de cuero personalizadas. Chalecos.

- Pinchos, tachuelas, aros, imperdibles, símbolo de anarquía. Símbolos antifascistas.

- Bota tipo militar, a veces con punta de acero. Zapatillas Converse, aunque las hace Nike, y ya no les mola tanto. En las chicas, botas de taconazos con plataformas. Las rojas y negras se consideran anticapitalistas.

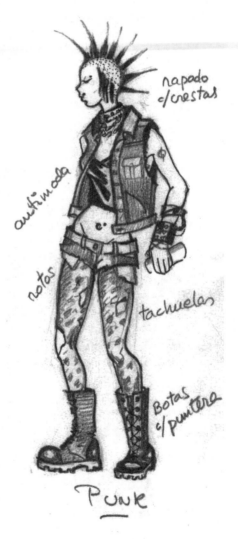

rapado c/crestas

autimoda

rotas

tachuelas

Botas c/puntera

PUNK

- Cinturones de tachuelas; tirantes (de cuadritos, antifascistas).
- Cabello cortado desigual; rapado con crestas; colores estridentes: verdes, amarillos, rojos. Maquillaje expresivo y resaltado; piercings; gargantillas de tachuelas y pinchos; aros.

- No se llevan bien con los *Emo*, ni con todo lo que represente el sistema establecido.

* **Emos:** su origen es de la década de los 80 en USA. Actualmente su estética melancólica e intimista la han adoptado adolescentes de todo el mundo. Los más auténticos defienden que tienen una filosofía profunda, pero muchos jóvenes emo no la conocen; lo que siguen es la música de los grupos considerados emo (Promise Ring, Jimmy Eat World), y les agrada el estilo de vida de adolescencia melancólica del grupo y su vestimenta, que es la siguiente:

- Ropa negra siempre. Otros colores aceptables son el rosa, morado, rojo y blanco. Adornos en fluo

- Jeans ajustados; camisetas ajustadas con dibujos "tiernos". Zapatillas All Star Converse; Vans.

- Sudadera con capucha.

- Adornos de estrellas, corazones, cuadritos, rayas, calaveras.

- Falditas rosas, tul con pins e insignias. Guantes y mitones lisos y de rayas.

- Cabello negro y mechas en la gama de rojos, con un mechón tapando un ojo o los dos.

- Piercings y tatuajes con sus temas preferidos, corazones, estrellas, etc.

- Maquillaje pálido resaltado por negro en ojos, labios y uñas.

* **Góticos, Darks, Darketos:** esta subcultura nace allá por la década de los 70. No hay que confundir su estética ni su identidad con los emo, aunque el negro predomine en su indumentaria. Varios nombres según los países y las décadas son los que definen el estilo "oscuro" de vida de sus miembros, conocidos en España también como *"siniestros"*. La música (death rock) y las artes (cine y literatura romántica, de terror, sobrenatural, morboso) están muy vinculadas a estos grupos.

La vestimenta está acorde con esta tendencia, dependiendo de la clase de música, por las películas e incluso por la historia lejana de la época victoriana.

- Ropa negra, básicamente.

- Distintos tipos de vestidos: medievales, victorianos, vampíricos o completamente actuales, como prendas de cuero muy ajustadas (corpiños y pantalones o faldas), medias de encaje, faldas de cuadros.

corpiños

expresión ojos

cuero

encajes

ropa negra

Dark

- Mangas extralargas, escotes, minis de cuadros con camisetas negras de tirantes.

- Shorts muy cortos de cuero con botas muy altas y sudadera o cazadora. Guantes de lycra o encaje.

- Piercings, tatuajes, cadenas, hebillas, figurillas de la muerte, calaveras, telarañas, ataúdes, etc., son accesorios propios de esta tribu.

- Cabello largo liso negro o corto, muy rígidas las puntas; mechas en tonos dramáticos (rojo, morado…) en las puntas, sobre todo. Maquillaje muy contrastado sobre fondo pálido rosado, ojos muy oscuros (negro, violeta) y labios pálidos o muy oscuros.

* **Metaleros:** derivados de los Heavy Metal de los años 70, los metaleros pertenecen a grupos diversos, muy divididos, pero con algo en común, la afición a la música *metal.*

Existen varias tendencias e ideologías, y también la "no ideología". *Heavy metal* (los clásicos); *Vikings metal* (batallas, mitología); *blacks metal* (satanismo, ocultismo); *thrash metal* (anárquicos), son algunos de los subgrupos y sus aficiones. No soportan lo convencional, son inconformistas y no se llevan bien con otras tribus como los punks y los emo, ni con los seguidores de la música disco, reggaetón y otras de origen latino. El descaro es otra de sus características; sabido es el signo de la mano que los identifica: "los cuernos" (corna o cornuta), que exhiben con el "puño metalero" en al-

to, mientras saltan bailando; también hacen este gesto como seña común y saludo a la cámara.

En el caso de estos grupos, chicos y chicas llevan un atuendo similar:

- Pueden usar todos los colores, siempre que sean intensos, nada de pastelones. El negro es el preferido.

- Camisetas negras con serigrafía de su grupo musical favorito. La imagen de Iron Maiden, una de las bandas fundadoras del heavy metal, la más utilizada. Cinturones de balas, pinchos y tachuelas.

- Jeans ajustados. Deportivas. Tachuelas. Decoración de las prendas con símbolos propios.

- Chaquetas, pantalones, faldas y botas negras de cuero. Inspiración del grupo musical Judas Priest.

- Elementos y letras tipo medieval. Muñequeras de cuero. Cruces invertidas. Piercings y muchos tatuajes, por todo el cuerpo. Anillos de metal descomunales. Brazaletes.

- El *"pelo metalero"* ya es un clásico: largo, abundante, despuntado y negro, a ser posible; tanto en chicos como en chicas; la cinta en la frente es típica. Los metaleros están orgullosos de sus melenas y del enérgico meneo que les dan, aunque hay individuos que llevan algo rapado, o también corto, como el propio ídolo cantante de los Iron Maiden, Bruce Dickinson.

- *Maquillaje:* o nada, al natural, o violento. El más espectacular es el Corpse paint, utilizado por los *blaks,* para dar un aspecto malvado y tétrico. Hecho sobre fondo blanco con la cuenca del ojo totalmente negra, amén de líneas en la boca tipo cosido de momia y el cuerpo también maquillado. La imagen de Alice Cooper, más o menos.

* **Skinheads:** nacen en Inglaterra en la década los 60. Actualmente su nombre se asocia con los nazis y neonazis, aunque en un principio su ideología no tenía nada que ver con ellos. Su origen era proletario, como la inmensa mayoría de las tri-

bus urbanas, y tendencia socialista. Seguidores de la banda musical Skrewdriver, que evolucionó hacia el fascismo, la más numerosa parte de esta tribu siguió esa tendencia, formándose otra de *redskin* o *sharps* —antifascistas-; desde entonces se odian.

Desde sus orígenes ha sido una tribu racista, pendenciera y agresiva, con multitud de actos violentos en su haber. Enemigos de los punks.

- Las chicas y los chicos llevan polos, cazadora *bombers*, botas Dc. Marteens o deportivas. Falditas cortas también ellas. Tirantes.

- Los chicos llevan el pelo totalmente rapado; ellas rapado pero con flequillo, patillas y mechones.

- Insignias, símbolos, tatuajes con sus ideologías. Los nazis llevan esvásticas, runas, águilas, cruces celtas, etc.

Los **redskin** se rapan los lados de la cabeza, dejándose el cabello largo.

El color de los **redskin** es el rojo, sus símbolos antifascistas, flechas hacia abajo, bandera anarquista.

* **Hippies y neohippies:** la tribu hippie , contestataria y antimilitarista, viene a proporcionar un poco de pacifismo, libertad sexual, no discriminación étnica, liberación de la mujer, meditación, ecologismo y una alternativa al sistema, tratando de cambiar el tipo de vida, la opresión y el consumismo de esta sociedad.

Bien, éstos son en síntesis los ideales de este grupo que se originó en los 60, en USA, y tuvo como detonante la inmensa protesta del pueblo por la guerra del Vietnam. Realmente fue una revolución social, estéticamente alegre, de la que se conservan algunos buenos valores.

Los hippies se oponen

al consumismo y las marcas, por lo que su vestimenta pretende ser artesanal, libre, cómoda y natural.

- Ropas de fibras naturales (algodón y lana) y ropas étnicas de todos los colores. Alegres, de flores, ligeras. Jerséis hechos a mano. Camisetas artesanales teñidas. Chalecos con flecos de inspiración india. Chaquetas y prendas de patchwork y ropa reciclada.

- Vestidos y faldas largas y vaporosas. Camisolas largas bordadas de escote fruncido.

- Camisetas de algodón sueltas y tirantes. Ponchos. Las chicas más "auténticas", no usan sujetador. En los 60 realizaron una quema de sujetadores, contra la opresión de la mujer.

- Pantalones sueltos. En sus orígenes, campanas. Sandalias, botas, *"pisamierdas"* y borceguíes. Sin tacón.

- Cabello naturalmente largo unisex. Barba. Las chicas no se maquillan ni depilan.

- Accesorios: bolsos zurrón de cuero y tela. Gorros ganchillo y punto. Pañuelos, bufandas largas. Calcetines. Cintas en el pelo, diademas, flores. Accesorios de tela, cuero y madera.

- Su principal símbolo es el del desarme nuclear, que vulgarmente se conoce hoy día como símbolo de la paz. También el de los dedos índice y corazón extendidos hacia arriba con la palma hacia fuera, que se reconoce como "paz y amor" y saludo.

Los hippies tuvieron su momento. Actualmente no son nada numerosos y no están entre los preferidos de los jóvenes, aunque simpatizan con su ideología y su estética; les caen bien a casi todos, excepto a algunos grupos, como los punks o los darks.

* **Hip-Hoperos/Raperos:** la subcultura del hip-hop se deriva de la música de este tipo surgida en USA allá por los años 70, entre chavales afroamericanos y latinos de barrios marginales como el Bronx. En este caso, el baile es tan importante como su música "hablada". Tienen inquietudes artísticas, con las que se expresan: pintura de graffiti, break dance, prosa poética y poesía en las letras de sus canciones, y la música, entre la que se encuentra el *rap*. Eminem es uno de los ídolos de este género, aunque se van quedando obsoletos y surgen miles de cantantes y grupos.

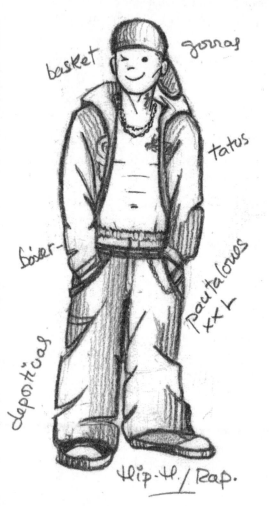

El hip-hop se ha extendido en todo el mundo, siendo muy aceptado. Cada país le da su sello propio. Tiene variantes violentas, los seguidores del *Gangsta rap*, que también se ha extendido por los países con distintos subgrupos, como los *Gamberros Pro* en España. En este país los Violadores del Verso tienen muchos seguidores.

La indumentaria es en general de todos los colores. Gris, blanco, amarillo, y negro los más usados.

- Ropa muy holgada. Camisetas y pantalones de basket o béisbol. Prendas deportivas.

- Las chicas, también tops y camisetas deportivas ajustadas. Pulseras y aretes.

- Gorras de visera. "New era". Muchas de NY, colocadas de lado, de frente, o hacia atrás

- Sudaderas deportivas con capucha. Pañoletas. Cintas de basket. Gafas de sol.

- Pantalones XL largos y anchos, debajo de la cintura. Dependiendo del gusto, a veces muy por debajo de la cintura, enseñando su ropa interior. En los chicos, siempre bóxer.

- Deportivas Nike, Basket, zapatos DC.

- El cabello en los chicos rapado con cortes de diseño; crestillas, etc. Las chicas igual, o suelto o con coleta.

- Maquillaje juvenil.

* **Pijos/fresas/chetos/pitucos/gomelos/"O sea"…** Tantos nombres para una tribu distinta a casi todas. No es reivindicativa y sigue sin mayor problema el sistema establecido. Existe en todo el mundo. Es interesante saber que el nombre no se lo han puesto ellos mismos, sino los demás. Quizás por eso el pijo raramente se reconoce como tal, ni tiene orgullo de tribu. Suelen ser de clase media-alta y sus aspiraciones pasan por vivir bien e ir a la moda. Como todas

las tribus, siguen e imitan a sus ídolos musicales y famosos; David Guetta, Katy Perry o el comercial del momento. No tienen muchas simpatías del resto de las tribus urbanas, pero rara vez se meten en líos.

Su indumentaria es "a la moda", con ropa de marca y de calidad.

- Tejanos de marca para chicos y chicas. Los chicos usan también pantalones de pinzas. Calcetines de rombos, de marca.

- Polo con un botón desabrochado en colores pastel o camisa de rayas, combinados con jersey fino echado por los hombros con las mangas de éste dejadas caer por delante del pecho.

- Las chicas visten ropa fashion de tendencia de todos los tipos y de marca, tanto en prendas como en complementos, todo muy conjuntado y alejado de lo que pueda parecerse a la moda "poligonera". Zapatos mocasines, tacones vintage, botas altas.

- En verano, polos para unos y otras. Zapatos náuticos sin calcetines. Camisetas surferas, de tenis, de pádel, de golf... de marca. Gorras clásicas.

- Los complementos son importantes: foulares de nudo delantero; bolsos y guantes de piel; mucha joyería y bisutería en oro o plata de diseño actual. Sombreritos para la lluvia. Gafas de sol, en invierno y verano; relojes a la última; todo lo que se ponga de moda, de marca, claro.

- Cabellos cortos en los chicos, melenitas lisas y con mechas en las chicas. Maquillaje discreto; cutis muy cuidado.

* **Canis/cholos/jinchos/pelaos/kíes/changas/juanis/jais...** otra serie de nombres, que definen una misma subcultura reciente que se mueve por la periferia de las ciudades. Su identidad es estética, porque no tienen una ideología definida. Su ideal es parecido al de los pijos, consumismo y buena vida; sólo que su poder adquisitivo es medio-bajo-muy bajo.

No son activistas aunque hablan de política, poniendo fatal a los que no son de su partido, que por lo general, es el de sus padres. Sus colegas son lo mejor, su música es el reggaetón-flamenquito-máquina; las motos y los coches su mayor afición; imitan y siguen a los famosos deportistas (sobre todo de fútbol), cantantes y estrellas de la TV; desprecian la cultura y aborrecen a los pijos.

Su estética es muy definida, no solamente por la ropa, sino por sus ademanes y su manera de expresarse.

- El chándal, casi siempre Nike TN y copias de marcas, es la indumentaria habitual, en todo tiempo. Vaqueros y pantalones "cagaos". Pantalones de tejidos brillantes (mucho blanco), con rayas laterales fosforita, y estampados de colores

pose foto

oros

top leopardo

tanga

muy ceñido

ZAPAS MUELLE

CHONI

fuertes y brillantes. Pantalones tipo camuflaje. A veces los calcetines por encima del chándal.

• Camisetas de tirantes; camisetas con serigrafías de famosos o de fotos de moda. Marcas bulldog, rotweiller, etc. Las chicas camisetas también con tirantes muy ajustadas, tremendo escote y superpuestas, asomando el sujetador de color negro, fucsia y tonos chillones; los tops sujetos al cuello muy escotados triunfan; combinados con pantalón súper ceñido, mostrando ombligo y tanga.

• Sudaderas, chaquetas y anoraks con capucha. Los anoraks con piel de pelo en la capucha.

• Gorra con visera, muchas de marca TN.

• Deportivas de muelles y converse; las chicas también, y plataformas grandes bajo el pantalón de chándal con la cremallera abierta; zapatos tipo art.

- Cabello: en los chicos rapados, con dibujos en relieve o tipo "cenicero". Las chicas largo, negro intenso o rubio oxigenado. Cintas anchas fosforitas.

- Complementos: el oro es el principal complemento; tanto en cadenas, como en pendientes, piercings, tobilleras, criollas, aros, etc.; brillante en las orejas. Anillos pesados y enormes de oro con figuras en relieve (león, dólar, etc.) son un símbolo de fuerza y poder.

- Tatuajes de frases sobre dios para los religiosos, frases-sentencia, tribales, flores, bebés demonio en las chicas, etc.

La denominación de **choni,** también muy reciente, responde a la estética femenina de los *canis*, pero con un modo de vestir algo más exagerado ("antes muerta que sencilla") y queriendo dar la imagen de "malota". Su pose favorita para la foto es echada para delante, poniendo "morros" y con una mano en la cintura.

El estampado leopardo es muy de su gusto, los dorados en cazadoras y ropa de abrigo, así como la ropa de mercadillo imitación de la ropa "pija"; el chándal rosa; pantalones algo campana súper ajustados, a menudo con mensajes escritos en el trasero, muy bajos de cintura, con el tanga a la vista; leggins; shorts con botas; minis-faja y mini-cinturón; camisetas y tops muy escotados.

Mucho oro en grandes pendientes de aro, anillos grandes, pasamanos, cadenas y medallas.

En los pies, deportivas muelle, botas altas de tacón y de pelo; sandalias de taconazo y plataforma.

El cabello muy liso y muy largo; con coleta alta muy estirada o moño muy alto recogido con pasadores brillantes. Tonos negro, rubio oxigenado y mechas.

Piercings en los labios, en el pecho, en la ceja, etc. Tatuajes con dibujos tiernos (p.ej. corazones), con su nombre o el de su chico o tribales. Teléfono móvil.

* **Pokeros:** es una tribu derivada de los bakalas de los 90, que se extinguieron hacia el 2003. Hay bastante confusión a nivel de calle entre *pokeros y canis*, porque la estética y los ambientes de barrio y discotecas que frecuentan son parecidos. Básicamente la diferencia está en la música que les gusta. Los pokeros escuchan sobre todo música poky, música disco amiga del Hard House, y el Hardance y mezclas de Hardcore, Hardstyle, Newstyle, etc.

visera arriba

oros

tatus

sudadera

zapas muelle

móvil

Pokero

De cualquier manera existen en algunos pokeros otras preferencias musicales como el reggaeton y el flamenco, y variada indumentaria, siendo ésta la más común:

• Gorra con la visera totalmente hacia arriba, todo lo que se pueda.

- Chaquetas Chevy de cuero o de tela. Sudaderas con capucha en negro, gris, blanco, y de cuadros. Pantalones vaqueros, pitillo y cagados, enseñando la ropa interior. También bermudas y en las chicas *buggys* (bombachos) y shorts.

- Camisetas de basket, sin mangas y ajustadas muy escotadas tanto chicas como chicos, serigrafiadas, en todos los colores, y tonos chillones y fosforitos. El blanco, negro y amarillo con dorados los más usados. Estampado camuflaje y leopardo para las chicas.

- Deportivas Nike retro; botas Thimberland o parecidas. Las chicas pueden optar por bailarinas de todos los colores, lisas o con lentejuelas, deportivas y muelles rosas.

- El oro forma parte de su indumentaria, pero no tanto como en los *canis*. Llevan cadenas al cuello y la muñeca, anillos grandes, las chicas pendientes grandes de aros, pero también varios pendientes en la oreja de otros tipos: bolas, brillantes, etc.

- Piercing en labios (dos, tres), lengua, ceja, pecho, ombligo, etc. Adornos de corazones, estrellas, personajes de la TV infantiles, tirantes, rosarios, colgantes, etc. como accesorio imprescindible: el móvil.

- El cabello los chicos lo llevan rapado, con dibujos, crestillas y cortes laterales. Las chicas muy largo, con extensiones y negro o rubio intenso. Tupé levantado. Recogido con coleta y moño, exageradamente alto, tipo Amy Winehouse. Cargan bastante el maquillaje en los ojos, con rabillos negros.

Éstas son las tribus donde se encuentran más adolescentes, existen otras muchas como *Rockers, Frikis, Grunges, Mods, Grafitteros, Skaters, Ska, Rastafaris, Otakus,* y tantas otras que tuvieron su época puntera, que están en su momento o que van abriéndose camino en las ciudades. Surgen constantemente en todo el mundo; la mayoría de ellas derivadas de las anteriores y mezclas de varias, por lo que a veces son bastante irreconocibles. Muchas tienen una vida corta e intensa, o son fruto simplemente de la canción o el grupo musical que en un momento dado triunfa en un sector de la juventud.

En Argentina -por ejemplo- la tribu emergente de *los turros,* ha hecho miles de "socios" en un año. Les gusta la música y sobre todo el baile de los Turros y Wachiturros (grupo de cumbia-reggaeton, que nació en 2011 y en enero de 2012 su video en Youtube ya tenía 10 millones de visitas). Como el propio grupo musical, son chicos y chicas del conurbano, sin una ideología profunda, derivada de los *floggers* (tribu urbana que despuntó hacia 2007) al igual que su estética. Usan gorras sobre rapados, remeras Lacoste, zapatillas Nike, tallas grandes y gafas de sol. Se les atribuye agresividad.

Otra del nuevo milenio es la de los *hipster/gafapastas/modernillos,* que, al igual que los pijos, no suelen reconocer que lo son. Son de clase media-alta, les gusta la moda alternativa, todo lo que suene a creativo, las redes sociales, los blogs y las fiestas. Vestimenta algo bohemia, gafas de sol y de pasta, pantalones anchos y chanclas.

Interesantes identidades que van componiendo la historia y la estética de nuestro tiempo.

Vaya mi cariño a todos los chavales de distintas tribus que he tratado y trato cada día, compartiendo risas, penas, ilusiones… vida.

DIEZ FRASES PARA RECORDAR

Si no puedes gastar mucho dinero, échale imaginación y recicla

El traje te ayuda a triunfar con muy poco esfuerzo y por poco dinero

El traje habla de ti antes de que digas nada

Lo bueno de la moda es que cambia

Pon el punto de atracción del traje donde quieras que vaya la vista

A mal tiempo, buen abrigo

Un traje no es nada hasta que no lo colocas en tu cuerpo; entonces tiene tu estilo

¿Un color que siempre te sacará de apuros? El negro

Cualquier figura se puede mejorar con un traje. Con pequeños truquillos, conseguirás grandes éxitos

Vístete y triunfa día a día apreciando tu cuerpo: jugando con los colores y las formas

GLOSARIO

Andrógino: referido a la moda, estilo que no resalta los atributos propios de la mujer o del hombre, dando una imagen intermedia. La androginia se puso de moda en los años 20, cuando las mujeres modernas adoptaron el estilo masculino en indumentaria y modo de vida.

Book: álbum de posados en fotografía de modelos, actores, etc., para darse a conocer en las agencias de modelos o promotoras.

Caftán: vestimenta amplia de origen turco que cubre el cuerpo desde los hombros hasta media pierna o pies; sin cuello, abierta por delante y con grandes mangas. Utilizada por hombres y mujeres. Se introdujo en la moda occidental a principios del s. XX y posteriormente en la década de los 60.

Casual: prendas cómodas e informales que actualmente se utilizan para uso cotidiano, como jeans, camisetas, camisas, chaquetas, deportivas, zapato cómodo, etc. Hay una gran diversidad, desde el "uniforme casual" -jeans y camiseta-, hasta alternativas más formales y elegantes, nunca protocolarias.

Chilaba: túnica de origen marroquí holgada con capucha. Ha servido de inspiración para varios diseñadores de abrigos y ropa exótica.

Cool: en moda se refiere a "lo último", lo más estiloso y lindamente innovador, que es digno de admirar e imitar.

Corsé: prenda interior rígida que oprime el cuerpo de la mujer, utilizada para moldear la figura, desde encima o debajo del pecho hasta la cadera normalmente, ajustando la cintura en exceso. A lo largo de la historia se han utilizado de muchos tipos, la mayoría con armaduras metálicas o de huesos de ballena, siendo muy nocivos para la salud.

Corselette: prenda femenina que afina la cintura de la mujer, realzando el busto y las caderas. Muy utilizado en la moda de los años 50, para lograr la cintura de avispa típica de la época, estaba realizado en tejido elástico y en ocasiones con ballenas. En los 80 el modisto Gaultier lo reinventó en diseños destinados a ropa exterior.

Corte de pelo "a lo garçon": del francés *garçon=chico.* Pelo corto con la nuca despejada y flequillo, que las mujeres liberadas de los años 20 pusieron de moda en esta época.

Corte de pelo Eton: pelo corto liso en la raíz y ondulado en las puntas, para dejar salir los rizos por el borde de los sombreros, propio de los años 20.

Crinolina: armadura interior de las faldas de las mujeres en el siglo XIX, hecha en principio con crines de caballo, de ahí su nombre.

Cuello Halter: tipo de cuello o escote que deja los hombros al descubierto y se sujeta alrededor del cuello.

Falda Kilt: falda típica escocesa, vestida por hombres en esta región inglesa actualmente sólo para grandes ocasiones. El tejido es de cuadros y se denomina tartán, y tiene distintos diseños. La falda es plisada y lisa por delante, sujeta a un lado por un gran imperdible. Esta falda es también utilizada en la actualidad por mujeres de todo el mundo.

Guardapolvo: prenda de vestir a modo de bata o blusón largo que se usa para preservar la ropa de polvo y manchas. Inspiración de los años 20 en especie de abrigos amplios de moda para conducir.

Jeans: pantalón de tejido resistente de algodón (denim o mezclilla), con bolsillos, pespuntes a la vista y remaches, que tiene distintas denominaciones: vaqueros, mezclilla, tejanos, blue jeans, etc. Fueron creados hacia 1853 por Levi Strauss como prenda de trabajo para los mineros. En 1873 se comercializó el "lote 501" de cinco bolsillos, que sigue siendo el jeans más famoso en la actualidad, aunque los hay de múltiples hechuras. El vaquero es la prenda universal más vendida, utilizada por todo tipo de personas.

Jumpsuit: traje pantalón enterizo. Sus formas son muy diversas, dependiendo del estilo y las tendencias; desde los utilizados para deporte, generalmente de pantalón holgado y corto, pasando por los veraniegos, elásticos, sexis, etc., hasta los más sofisticados para fiesta.

Kalasiris: especie de túnica femenina egipcia, drapeada y envolvente, sujeta por anchos tirantes.

Lamé: tejido de hilos generalmente dorados o plateados, flexible y muy utilizado para trajes de noche.

Legging: del inglés *leg*=pierna. Pantalones femeninos muy ajustados de material elástico. Desde que se introdujeron a finales de los 80, está dentro de las prendas más utilizadas por todo tipo de mujeres.

Loden: tejido de lana de oveja, muy abrigado, resistente y liviano a la vez, originario de la región austriaca del Tirol. También se denomina Loden al abrigo actual de línea clásica hecho con este tejido, generalmente en color verde, que puso de moda el Emperador Francisco José de Austria en el siglo XIX para ir de caza.

Lurex: hilo de fibra metálico -marca registrada- que da nombre también al tejido fabricado con este hilo combinado con otros materiales como algodón, lana y sintéticos. Su aspecto metálico y brillante lo hace adecuado para prendas de noche y sofisticadas.

Mameluco: pantalón holgado recogido en los bajos, muy utilizado por las niñas debajo de la falda en el siglo XIX. La expresión empieza a utilizarse a mediados de este siglo, por semejanza con los pantalones que llevaban los soldados mamelucos.

Moda Pronta: moda que se crea, se confecciona y se comercializa continuamente. Utiliza mucho el reciclado de diseños.

Pampanilla: especie de falda o faldellín acampanado.

Polera: remera, camiseta, playera. Son palabras que dan nombre a una prenda de vestir de arriba, por lo general de mangas cortas, cuello redondo, sin botones, cierres ni bolsillos; también con tirantes. Puede ser más o menos holgada, con el largo normal en la baja cadera, confeccionándose más corta o más larga, dependiendo del diseño.

Prêt-à-porter: palabra francesa - *"listo para llevar"*- con la que se denomina la moda hecha en serie, que se actualiza cada temporada, con una amplia oferta de tendencias, de calidades y precios. Las colecciones salen a las pasarelas de la moda de los distintos países.

Sarong: pieza de tela de algodón rectangular que se enrolla alrededor de la cintura, usada tanto por hombres como por mujeres en las islas del Pacífico. Su equivalente en occidente es el *pareo,* que se utiliza para ropa de baño, informal, hogar, fiesta, etc.

Strapless: vestido femenino sin tirantes con los hombros al descubierto, con diversos estilos, generalmente ajustados, elásticos, de corte princesa, rectos o trapecio.

Sudadera: tiene su origen en el sweater (jersey), derivado de la palabra inglesa *to sweat*=sudar. Es una prenda no ajustada exterior, de tejido técnico de deporte o grueso de algodón, que puede llevar mangas, bolsillos frontales y capucha. Utilizada en principio para hacer deporte, en la actualidad es una *"street wear"* (ropa de calle) usada a diario, sobre todo por los jóvenes.

Vestido Baby Doll: vestido de corte imperio, con vuelo en la falda. Nombre derivado del camisón corto "de muñeca" que puso de moda la actriz Caroll Baker en la película *Baby Doll* (1957). Actualmente también se le da este nombre a vestidos de corte infantil.

Yuppie: acrónimo del inglés *"young urban professional"* ("Joven Profesional Urbano") referido al "estilo" nacido en New York hacia 1985 de los jóvenes ejecutivos capacitados y exitosos, preocupados por su apariencia física, impecables en todo momento, con trajes de chaqueta y complementos de firmas prestigiosas.

BIBLIOGRAFÍA

CITYC.

Diccionario de la moda. Margarita Rivière.

Etiqueta y distinción social. José Sánchez Moreno.

Historia del traje en occidente. François Boucher.

Historia gráfica de la moda. Henny H. Hansen.

INE.

InterMIS.

Pangea.

Revistas: Amica, California Apparel News, Collezioni, Elle, Fucsia, Gap, In Style, Seventeen, Teen Vogue, Trapos, Vanity Fair, Vogue.

Una guía de la moda urbana. Steven Vogel.

Werner Internacional.

TÍTULOS DE LA COLECCIÓN

1 Juan José Jurado, NO TENGO TRABAJO ¿QUÉ PUEDO HACER?

2 Antonio Soto, LAS NUEVAS ADICCIONES ¿QUÉ SON? ¿CÓMO AFRONTARLAS?

3 Luis López, CLAVES PARA ENTENDER LA CRISIS MUNDIAL

4 Toti Fernández, VÍSTETE Y TRIUNFA. INFLUENCIA DE LA MODA EN LA VIDA COTIDIANA

5 Miguel Álvarez, LA SEXUALIDAD Y LOS ADOLESCENTES. CONCEPTOS, CONSEJOS Y EXPERIENCIAS

6 Ángel Moreno, CÓMO EDUCAR A UN BEBÉ

7 Esther Soria y Laura Soria, CON LA ALIMENTACIÓN NO SE JUEGA

8 Arántzazu García, Ana Ferrández y Susana Martín, NOSOTROS PODEMOS. INTEGRACIÓN DE LOS DISCAPACITADOS EN LA SOCIEDAD ACTUAL

9 Adolfo Muñiz, BASES PARA UNA BUENA EDUCACIÓN MUSICAL

10 M. Natividad Soto y Lola Ortega, LA COMUNICACIÓN CON TU BEBÉ

11 Carlos Molinero, ADOLESCENTES EN CONFLICTO. CÓMO RECUPERAR LA ARMONÍA PERDIDA